AIガバナンス入門

リスクマネジメントから社会設計まで

羽深宏樹
Hiroki Habuka

ハヤカワ新書 017

目次

第6章 AIガバナンスの未来 199

序章

なぜＡＩガバナンスは「自分事」なのか

あなたの職場では、〝ChatGPT〟や〝ミッドジャーニー（Midjourney）〟等の生成AIの使用が認められているだろうか。生成AIとは、画像、文章、音声などさまざまなコンテンツを自動的に生成してくれる人工知能のことだ。たとえば、文章生成AIのChatGPTに、「AIガバナンスの本の書き出しの文を考えて。」と入力すると、以下のような回答が表示される。

> 21世紀、人類はAIの浸透という未曾有の波に直面しています。その結果、AIが私たちの生活、仕事、さらには社会の在り方そのものをどう変えていくのかという問いは、今や避けて通れない課題となりました。この本では、AIがもたらす可能性とその挑戦を導くための新たな原則とフレームワーク、すなわちAIガバナンスの重要性について探ります。

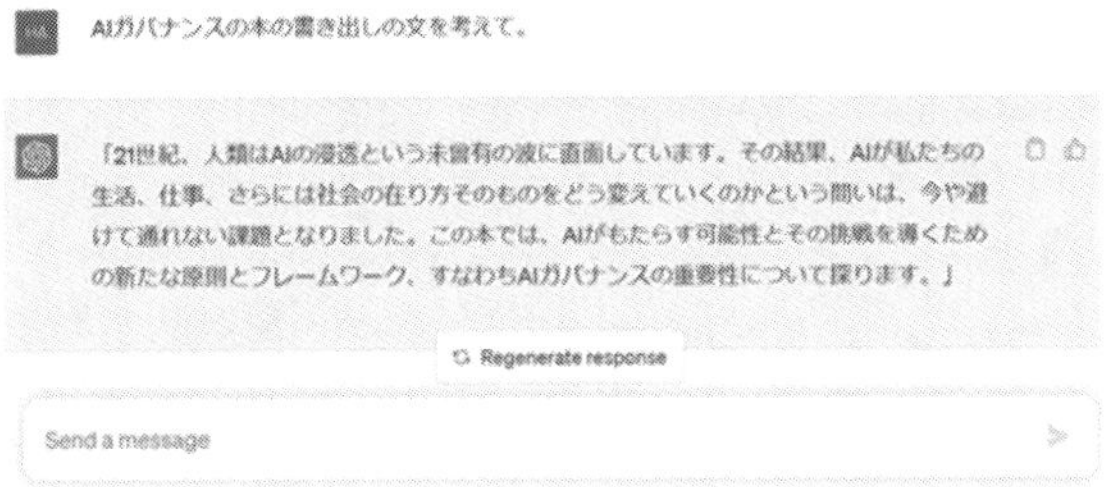

AIガバナンスの本の書き出しの文を考えて。

「21世紀、人類はAIの浸透という未曾有の波に直面しています。その結果、AIが私たちの生活、仕事、さらには社会の在り方そのものをどう変えていくのかという問いは、今や避けて通れない課題となりました。この本では、AIがもたらす可能性とその挑戦を導くための新たな原則とフレームワーク、すなわちAIガバナンスの重要性について探ります。」

Regenerate response

Send a message

図１：実際の ChatGPT の画面（2023 年 11 月 11 日 GPT-4 にて作成）

本書の実際の書き出しと、このＣｈａｔＧＰＴの書き出しのどちらがより魅力的かは読者の判断に委ねるとして、ここでお伝えしたかったのは、生成ＡＩが、人間と見分けがつかないような内容と形式の文章を作成できるということだ。生成ＡＩは、このような文章の作成だけでなく、顧客との対話、画像や楽曲の作成、プログラミングコードの記述、財務分析など、幅広い分野の業務をこなすことができる。

一方で、生成ＡＩの利用には様々なリスクが伴う。たとえば、生成ＡＩによって作られた文章や画像が、既存のコンテンツと酷似しており、誰かの著作権を侵害してしまうかもしれない。生成ＡＩがもっともらしい虚偽の情報を作成することで、人々が騙されてしまうかもしれない。生成ＡＩにインプットした個人情報や秘密情報が、ＡＩの学習に利用され、他のユーザーに開示されてしまうかもしれない。

さて、あなたが企業の経営者だとして、このような生成ＡＩの利便性とリスクを踏まえたときに、社内における生成ＡＩの利用を許可すべきだろうか。

実は、この問いに対する「正解」はどこにもない。現在、少なくとも日本において、生成ＡＩを業務で用いることを禁じる法律はない。生成ＡＩを用いることで、企業の生産性は上がり、より低価格で高品質のサービスを社会に提供できるようになるだろうし、従業員は文字通り機械的な労働から解放され、より自由で豊かな人生を享受できるようになるだろう。他方で、生成ＡＩは、誤った情報や不適切なコンテンツを表示するかもしれないし、生成ＡＩが作った文章や画像を不用意に使うことで、著作権侵害で訴えられたり、社会的非難を受けたりするかもしれない。それでは、どのような場合であれば生成ＡＩを業務に使ってよいのだろうか。仮に一定のルールを定めたとして、想定外の事態が生じた際には誰がどのように責任を取るべきだろうか。

このような悩みは、生成ＡＩのみならず広くＡＩ一般に当てはまる。深層学習（ディープラーニング）技術の急速な発展により、ＡＩが様々な場面で実装されたことで、ＡＩに伴うリスクも顕在化するようになった。たとえば、自動運転車による死亡事故、金融取引アルゴリズムによる相場の急変動、採用アルゴリズムによる性差別や人種差別、ＳＮＳ（ソーシャルネットワーキングサービス）における虚偽コンテンツの拡散などである。いずれの事例でも、それまで人間が行ってきた業務にＡＩを用いることによって利便性や効率性などの画期的な利益がもたらされる一方で、看過できないリスクも生じてしまっている。そのような状況で、ＡＩのリスクを適切にマネジメントしつつ、ＡＩがもたらす価値を最大化するためにどのようなルールや組織、技術などを構築すべきかが、経営者や政策決定者にとっての喫緊の課題となっているのだ。本書ではこのような、ＡＩのもたらす便益を最大化するための取組みを「ＡＩガバナンス」と呼ぶ。

ここで、注意深い読者は、「新たなテクノロジーのリスクを制御しつつその便益を最大化する必要があるのは、ＡＩ以外の技術についても同じではないか」と思われるだろう。確かに、人類はこれまでも、鉄道、通信、航空、原子力等、それまでの世代が経験してこなかった革新的な技術を発明してきたのであり、そこには常に新たなリスクが伴ってきた。それではなぜ今、ＡＩのガバナンスについて新たに考える必要があるのだろうか。その理由は、ＡＩという技術の特徴にある。ここで、ＡＩ技術の性質と、それに伴うリスクの特徴をみてみよう。

ＡＩリスクの特徴

そもそも「ＡＩ」とは何だろうか。ＡＩに関する国際的に統一された定義はなく、世界中で様々な説明がされているが、特定の文脈を離れて「ＡＩ」そのものを定義することにはあまり意味がない。ＡＩのガバナンスについて語る本書においては、ＡＩを、「機械学習の一種である深層学習（ディープラーニング）を用いて、人間の知能に類似した振る舞いを行うシステム」をいうものとしよう。なぜなら、ディープラーニングこそが、二〇一〇年代以降の人工知能ブームのきっかけになったからであり、また、昨今問題になっているＡＩのリスクの多くの原因ともされているためである。

機械学習とは、分類や予測など、入力と出力をつなぐ処理を、データから学習する技術のことだ。やや分かりにくい説明であるが、要は、人間があらかじめ計算式を決めておくのではなく、機械がデータを学習して最適な計算式を作り出すのが、機械学習という技術だ。その中でも、ディープラーニングは、関数を深く多層に組み込むことで複雑な計算式を記述できるため、非常に精度の高いアルゴリズムを作り出すことができる。単純に言えば、機械学習とは「与えられたデータを統計的に分析し、それに基づいて新たな結果を出力する」というシステムであり、ディープラーニングとは、その機械学習のアルゴリズムに階層性をもたせることによって、複雑な計算式の構築を可能にし、精度を極めて高くしたものだ。

このようなディープラーニングの特徴は、様々な点でガバナンス上の難しさをもたらす。その難しさは、大きく二種類に分類することができる。それは、①ＡＩの技術的な特徴に由

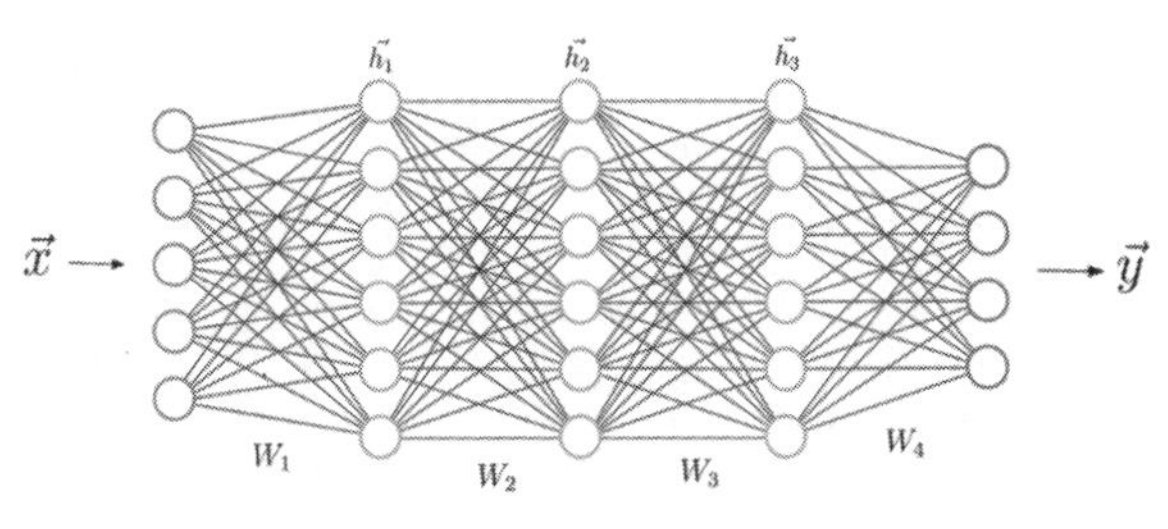

図２：ディープラーニングのイメージ

来するリスクと、②ＡＩが（技術的には問題がないとしても）社会に実装されることで生じるリスクだ。

一つめの「技術的リスク」とは、ＡＩが与えられたデータを統計的に分析し、それに基づいて新たな結果を出力するシステムであることに由来する。そもそも、与えられたデータが「正しい」保証はない。その中には、不正確なデータが含まれているかもしれないし、不適切なバイアス（偏り）が含まれているかもしれない。また、予想したい結果が、過去の統計データの延長上にある保証もない。つまり、「完璧なＡＩ」というのは作りようがないのだ。その上、ディープラーニングの関数は極めて複雑であることから、ＡＩがどのような判断をするかを事前に予測することは困難であり、また、事後的になぜそのような判断となったのかを説明することも困難だ。ＡＩガバナンスの課題として「透明性」や「説明可能性」といった言葉がよく取り上げられるのは、こうした理由による。

二つめの「社会的リスク」とは、ＡＩの性能に問題があるからではなく、むしろ性能が極めて高いがゆえにもたらされる社会的な問題である。たとえば、生成ＡＩは、本物そっくりの偽動画や偽ニュースを簡単に作り出せてしまうため、悪用されて社会に混乱を招く場合がある。あたかも人間が作ったような文章や画像を作り出せてしまうことから、著作権侵害のリスクも発生する。プライバシーの問題も重要な社会的リスクの一つだ。我々の行動データ、購買データ、検索データなどの緻密なデータが、デジタルプラットフォームなどに集積され、それがＡＩによって分析されると、交友関係や健康状態、資産の状況など、我々が他人に知られたくないような情報まで明らかにされてしまう。さらには、ソーシャルメディアなどが、こうした情報をもとにユーザーに「見たいものだけを見せる」というアルゴリズムを設定することによって（そうした方が、ユーザーの滞在時間が伸びて広告収入が増えるからだ）、世論が分断され、民主主義システムそのものにリスクが及ぶ場合もある。

このように、ＡＩがもたらすリスクの性質は、生命に関わるものや個人の尊厳・プライバシーに関わるもの、そして民主主義に関わるものなど様々だ。また、ＡＩをどのような目的で使うのか――人間の判断をサポートするために使うのか、人間の判断を完全に代替するのか――といったことでもリスクの状況は変わってくる。こうした様々な種類のリスクへの対応は、それだけでも非常に難しい問題だ。

しかし、話はそれで終わりではない。たとえば、「社会的リスク」であるプライバシーへの影響を避けるために、ＡＩに学習させるデータから個人に関連する情報を削除してしまうと、ＡＩの精度が落ち、「技術的リスク」が増加するといった、異なるリスク間のトレードオフの問題がある。また、ＡＩシステムのバリューチェーンには、学習データの提供者、ＡＩアルゴリズムの開発者、そのアルゴリズムを用いたアプリなどのサービス提供者など、様々なステークホルダーが関与している。生成ＡＩの場合、ユーザー自身もリスクの創出に関わることになる。そのため、何か問題が生じたとき、これらの主体間でどのように責任を分配するかという点も検討しなければならない。

以上のように、ＡＩシステムのガバナンスは、難しい論点を多く含んでいる。

「自分事」としてのAIガバナンス

こうしたＡＩリスクに対処することの必要性と難しさを受けて、二〇一六年頃から、ＡＩガバナンスに関する議論が世界的に活発にみられるようになった。現在、多くの国、国際機関、非営利団体、企業、研究機関などが、ＡＩガバナンスに関する法律、原則、標準、ガイドライン等を公表しており、今後もその動きは止まらないだろう。

それでは、企業や個人は、これらのルールが作られるのを待って、その都度淡々と遵守するしかないのだろうか？　そうではない。

　第一に、法律については、制定までに長い時間がかかる。日本では、ある法律の検討が開始されてから施行されるまでに短くとも二～三年間はかかるが、変化の速いＡＩの分野では、その間にも技術やビジネスの状況は大きく変化していってしまう。だから、日本の企業にありがちな、「法律で明確にＯＫが出るまではＡＩを実装しない」というスタンスでは、業務効率やサービス品質の点でどんどん遅れをとってしまう。また、仮に法律が制定されたとしても、複雑で変化の速いＡＩシステムに対する法律の内容は抽象的なものとならざるを得ず、各プレイヤーが何をすべきかが明確になるようなことは期待できない。

　第二に、そうした法律と実務のギャップを埋めるために、政府だけでなく、国際機関や非営利団体など多くの団体がＡＩに関する原則や標準、ガイドライン等を出している。これらは、法的な拘束力がない、いわゆる「ソフトロー」であり、従うか従わないかは基本的に事業者の自由である。しかし、だからといってすべて無視してよいわけではなく、一定のソフトローに従うことが、ユーザーの信頼獲得につながったり、法的責任の軽減や社会的非難の回避に役立ったりすることもある。数多いソフトローの中のどれを参照して自社のＡＩガバナンスを実施するのかは、各企業の判断に委ねられる。

　結局のところ、各社が開発したり利用したりするＡＩシステムについて、どのようなルールを作り、どのような組織や技術によってこれを実践するのかは、各企業が責任をもって決定しなければならないのだ。すなわち、ＡＩガバナンスは、第三者が決めたことを守るという伝統的な法務・コンプライアンスマターなのではなく、ビジネスのためにどのようなリスクを取るのかを主体的に選択し実践する経営マターであり、企業にとってまさに「自分事」なのである。

もちろん、企業だけでなく国や自治体などにとっても、ＡＩガバナンスは「自分事」であり続ける。しかし、そのあるべき姿は、伝統的なトップダウン型のガバナンスとは様相を異にするだろう。なぜなら、極めて複雑で変化の速いＡＩガバナンスの世界では、政府が事細かに「To Do リスト」や「禁止リスト」を作成することはできないからだ。政府に求められるのは、様々なステークホルダーの間でＡＩガバナンスの議論が行われるよう促したり、企業が適切なＡＩガバナンスを自ら考え実践するようなインセンティブ付けをしたりすることだ。そのため、公的機関として法規制や法的権利、責任や制裁といった様々な社会制度をどのようにデザインし直すかが問われることになるだろう。

本書の構成

本書の目的は、このような複雑で難解なＡＩガバナンスの議論の状況をできるだけ分かりやすく整理した上で、ＡＩと共に生きる未来の社会像を描き出すことだ。その全体像を図3に示す。

まず、第1章「ＡＩリスク――何が問題なのか」では、ＡＩがもたらすリスクのうち、特に重要なものを紹介する。よく「ＡＩにはリスクがあるから規制すべきだ」とか「イノベーションが重要なのでＡＩを規制すべきでない」といった議論を目にするが、こうした議論は物事を単純化しすぎている。ＡＩのリスクには、様々な種類や性質のものがあり、こうしたリスクの所在をきちんと把握することがＡＩガバナンスの第一歩だ。

第2章「ＡＩガバナンスとは何か」では、ＡＩガバナンスの枠組みの全体像を俯瞰する。ＡＩガバナンスという言葉は、ＡＩシステムの安全設計、ＡＩを運用する組織の体制、ＡＩに関する法規制など、様々な意味で使われる。これらは全て「ＡＩガバナンス」の要素なのだが、整理せずに話を進めてしまうと混乱を招いてしまう。そこで、様々なガバナンスの階層を整理するためのフレームワークを示そうと思う。

第3章「ＡＩガバナンスの目的とＡＩ原則」では、「ＡＩガバナンスは何のために行うのか？」という点を検討する。目的地を見失ったまま走り出すと迷走するので、ここを押さえておくことは非常に重要だ。ＡＩガバナンスの文脈でよく問題となる基本的人権・民主主義・経済成長・サステナビリティなどの基本的価値や、公平性・プライバシー・安全性・透明

AIリスク—何が問題なのか（第1章）

1. 技術的リスク
(1) 誤判定
(2) バイアス
(3) 虚偽・ハルシネーション
(4) 安全性
(5) セキュリティ

2. 社会的リスク
(1) プライバシー
(2) 民主主義へのリスク
(3) 不正目的・攻撃目的利用
(4) 経済への影響（独占・仕事の代替）
(5) 財産権への影響（知的財産権・データ）
(6) 環境負荷

3. AIリスクの本質
(1) 予測や説明の難しさ
(2) バリューチェーン上の主体の多さ
(3) 技術革新や普及の速さ
(4) 信頼性判断の難しさ
(5) 倫理的課題の提起
(6) グローバル化
(7) 汎用AIがもたらす未知の影響

AIガバナンスとは何か（第2章）

AIガバナンスの目的（第3章）

・基本的人権　・民主主義
・経済成長　・サステナビリティ

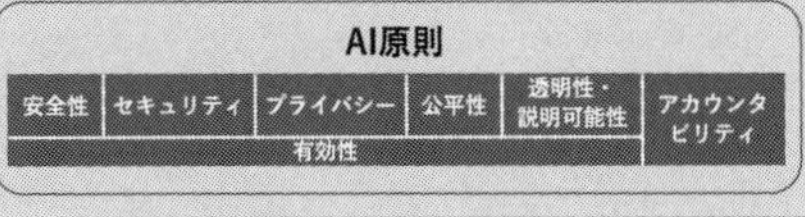

▼

AIシステムのガバナンス（第4章）

「二重のループ」と「信頼のリレー」

AI社会のガバナンス（現在：第5章, 未来：第6章）

法規制	標準/ガイダンス	権利	責任・制裁	救済	国際相互運用
アジャイル・マルチステークホルダー・分散的なプロセス					

図3：本書の全体構成

性・アカウンタビリティなどの「AI原則」が、それぞれ何を意味するのか、なぜ重要なのかについて説明する。

第4章「AIシステムのガバナンス」では、第3章で述べた基本的価値や原則を具体的なAIシステムに落とし込むために、AIの開発や実装を行う組織がどのようなガバナンスを行うべきかを述べる。現場レベルと経営層のレベルの双方でフィードバックサイクルを回す「二重のループ」の考え方や、AIのバリューチェーン上の様々な主体間での役割分担について、ケーススタディもまじえながら検討しよう。

第5章「AIガバナンスの世界動向」では、各主体にAIシステムのガバナンスを適切に実践してもらうための法規制やガイドラインなどについて、世界的な動向を紹介する。今のところ各国の対応は様々で、包括的なAI規制を行う地域もあれば、業界ごとに規制するアプローチを採る国もある。異なる国の制度を相互乗り入れ可能にするための国際的な対話も始まっている。そのような各国の制度に関する議論の状況を正しく理解することを目指す。

第6章「AIガバナンスの未来」では、AIから最大限の恩恵を受ける社会を作っていくために、法規制・市場・ルールなどの在り方や、民間主体と公的主体の役割分担など、我々の社会制度をどのようにアップデートすべきかについて考える。近年世界的に注目されている「アジャイル・ガバナンス」という考え方を踏まえつつ、筆者の未来予想図を描いていく。

このように、本書の範囲は広範にわたるが、まずは全体の要約を知りたい方は、終章がその役割を果たしているので、そちらからご参照いただくのも良案だろう。

本書は、ＡＩガバナンスについて、何らかの「正解」を与えるものではない。むしろ、ＡＩガバナンスに正解など存在せず、仮に一時的な最適解があったとしてもすぐに陳腐化してしまうというのが、本書の強調する課題だ。だからこそ、企業であれ、公的機関であれ、どのようなリスクマネジメントや社会制度の在り方が望ましいかを常に考え、実証し、改善し続けることが重要なのである。

「幸せは歩いてこない　だから歩いてゆくんだね」とは、高度経済成長期の日本社会を象徴する名曲のフレーズだが、ＡＩ社会にもそのまま当てはまる。ＡＩの恩恵を最大限に受ける社会とは、誰かがルールを決めてくれたりリスクをなくしたりしてくれる社会ではなく、様々なバックグラウンドや知識をもった人が集まって、トライアル＆エラーを繰り返しながら前進し続ける社会だ。そのためには、ＡＩガバナンスを「専門家だけが理解できるテクニカルな領域」としてはならず、「誰もが自らの知識や意見を持ち寄って議論できる領域」にしなければならない。

本書が、複雑に絡み合うＡＩガバナンスのポイントを整理し、開かれた議論の土台を提供するものとなれば嬉しい。

第1章

AIリスク——何が問題なのか

技術発展の歴史は、新たなリスクの出現とその克服の歴史でもある。鉄道、自動車、航空機などは、数多くの悲劇的な事故を起こしてきたが、人々は、そこから新たな事故防止システムや保安基準を生み出すことで、今日の高い安全性を実現してきた。インターネットは、情報漏洩やフィッシング詐欺などのリスクをもたらしたが、暗号技術やセキュリティポリシーの整備等によって、現在では多くの人が安心して使用できるようなインフラとなっている。人類は、革新的な技術が登場する度に、新たなリスクを経験し、それに応じて技術を改善し、ルールを定め、組織を作り変えることで、イノベーションの恩恵を享受してきた。そのような営みこそが、本書のテーマである「ガバナンス」である。

それでは、ＡＩという革新的な技術には、どのようなリスクがあるのだろうか。ＡＩは、様々な分野においてこれまで人間が行ってきた知的作業を代替できるものであり、その結果としてもたらされるリスクの種類も多岐にわたる。それらを全て挙げることは到底できないが、以下ではその中でも特に重要なものを、「技術的リスク」と「社会的リスク」という二つの観点から紹介する。

技術的リスクとは、ＡＩの技術的性質――機械が自ら、与えられたデータをもとに複雑なアルゴリズムやモデルを構築し、それに基づいて結果を出力すること――に由来するリスクだ。不正確または不適切な出力を避けられないことや、出力の理由を説明できないことなどがこれにあたる。

一方、社会的リスクとは、そのような技術的なリスクを伴いつつも、ＡＩが従来のシステムと比べて極めて高精度の結果を出すことができてしまうがゆえに、人間の行動や判断がＡＩに大きく影響されることで生じるリスクだ。プライバシーや機密情報の特定、偏った情報が表示されることによる社会の分断、ディープフェイクの作成などの悪用がその代表例だ。

以下では、それぞれの具体的なリスクをみていこう。

1．ＡＩの技術的リスク

序章で述べたとおり、ＡＩは、人間が記述したアルゴリズムによって動くのではなく、与えられたデータを学習して自ら複雑なアルゴリズムを構築する。すなわち、アルゴリズムの内容を決定するのはデータであり機械なのだ。そのため、学習の元になるデータが不完全であったり不適切な偏り（バイアス）があったりすると、そのアルゴリズムが出す結果も不正確または不公平になる。「ゴミを入れるとゴミが出てくる」（Garbage in, Garbage out）という言い回しは、こうしたＡＩの性質をうまく捉えたものだ。

そのため、ＡＩの開発にあたっては、学習するデータの品質に問題がないか、また出力結果が様々なリスクシナリオに対応できるものかどうか、入念にチェックされる。それにもかかわらず、実際にＡＩシステムを運用することで初めて明らかになる問題は多い。それは、機械の生成したアルゴリズムが複雑すぎて、人間に理解することができないこと、リスクシナリオが無数にあるために、事前に全ての可能性を検証することができないこと、アルゴリズムが運用後も学習によってアップデートされていくこと、などによる。

こうしたＡＩの技術的特徴に由来するリスクとして、以下では、「誤判定」「バイアス」「虚偽・ハルシネーション」「安全性」「セキュリティ」について紹介しよう。いずれもＡＩガバナンスの世界では頻出の用語であるが、これらは別々のものではなく、前述のような、ＡＩに共通の技術的な仕組みを原因としている。

（1）誤判定

ＡＩは、時に人間ではあり得ないような不適切な判定を行うことがある。そのようなリスクを世間に広く知らしめたのが、二〇一五年のグーグルフォトの事例だ。同サービスでは、ＡＩが被写体に自動的にラベル付けをしていたが、あるユーザーがアフリカ系の人物の写真をアップロードしたところ、「ゴリラ」と判定してしまったのだ。

誤判定自体は、グーグル側でも十分に想定していたことだろう。たとえば、「椅子」を「机」と誤って判定したとしても大きな問題ではないし、そういった誤判定に関するフィードバックをユーザーから集めることで、ＡＩの性能は上がっていくものだ。しかし、先の事例では、人種差別に直結するような判定を行ってしまったことで大きな問題となった。もちろん、ＡＩが人種差別をしようと思って判定をしたわけではない。背景には、ＡＩが学習したデータは白人系の写真が圧倒的に多く、アフリカ系の顔について精度が落ちていたという事情があったといわれる。このように、ＡＩは、学習したデータに含まれている偏り（バイアス）をそのまま反映してしまう性質がある。この点については、次の項目で詳しく解説しよう。

精度の問題は、リスクの高い場面ではとくに問題となる。ＩＢＭの人工知能ワトソンを使ったガン診断システムは、多額の投資をして得たデータで四年以上訓練したにもかかわらず、適切な治療法を提案できないと評価され、二〇二二年には事業ごと安値で売却されてしまった。その背景には、センシティブな領域において詳細なデータを集めることが法的・技術的に難しく、それによって精度が上がらなければ、ＡＩの使用は不要どころか危険ですらあるという事情があるといえる。

（2）バイアス

かつてアマゾンは、採用時の履歴書のスクリーニングを自動化するためのＡＩシステムを開発していた。このシステムは、過去一〇年間にアマゾンが受け取った履歴書を学習データとして使用しており、その結果構築されたアルゴリズムは、応募者を五点満点で（あたかもアマゾンの商品レビューのように）採点していた。しかし、二〇一八年に、このシステムが男性の履歴書を女性の履歴書よりも高く評価していることが明らかになった。具体的には、履歴書に「女性」という言葉や女性の多い大学名などが含まれている場合、その履歴書は低いスコアを受け取っていたのだ。アマゾンはこの問題を修正しようと試みたが、男女差別以外も含め完全にバイアスを排除することができないと判断し、最終的にこの採用システムの使用を取りやめた。

性差別は、クレジットカードの与信審査の場面でも起きている。二〇一九年、アップルは、ゴールドマンサックスと提携して、「アップルカード」というクレジットカードを発行した。アップルカードの与信審査は、ＡＩが行っていた。その審査結果について、実業家のデイヴィッド・ハイネマイヤー・ハンソン氏が、自分と妻では経済状況がほとんど同じであるにもかかわらず、自分には妻の二〇倍の与信額が設定された旨をツイートした。すると、アップルの共同創業者でもあるスティーヴ・ウォズニアック氏も応答し、妻とは銀行口座を含むあらゆる資産を共有しているのに、自分には妻の一〇倍の与信額が割り当てられたと報告した。結局、本件は、ニューヨーク州金融監督局による調査の対象となった。

もちろん、アップルカードの運営側は、そうした性差別が起きないように細心の注意を払っていたはずである。ゴールドマンサックスは、「与信枠の決定にあたっては、ジェンダーや人種、年齢、性的嗜好などの基準は使っていない」と述べている。しかし、ジェンダーや人種を直接の審査基準としなくても、たとえば購買している商品の内容、身長・体重、出身大学の名前などが性別と相関しているために、こうした要素が差別的な結果をもたらしてしまうことは十分に考えられる（こうした要素を、代理変数という）。アルゴリズムのバイアスに対処するためには、単に入力データの中から問題となる基準を排除するだけでは不十分であり、代理変数による差別が起きていないかどうかを出力レベルでチェックする必要がある。

人々の判断がＡＩの判断に依存することは、現在の社会に存在しているバイアスやステレオタイプを増幅させてしまうことにもつながる。先に述べたような採用や与信における性差別は、幸いにも発見されて問題となったが、これらが発見されることなく、人々がその判断に従って採用や与信の判断を積み重ねてしまった場合、それによって新たな差別的なデータが生み出され、それをもとに学習したＡＩがさらにその差別を増幅させるという可能性は十分にあるのだ。

(3) 虚偽・ハルシネーション

以上は、画像の認識や採用・与信額の判断など、特定のタスクに特化したＡＩが不正確または不適切な判定を下す事例であった。他方、文章や画像を作成できる生成ＡＩが不正確または不適切な出力をすると、それはもっともらしい「嘘」や「幻覚（ハルシネーション）」となってしまう。

アメリカで、ある男性が、航空会社を相手取って訴訟を起こした。航空機に搭乗中、金属製のカートがぶつかってケガをしたというのだ。ただし、事故の発生から提訴までに二年ほどの時間がかかっており、航空会社側は、既に時効が成立していると主張した。男性の弁護士は、時効が成立していないことを理由付けるために、関連する六つの判例を引用した。ところが、裁判所が調べたところ、そのどれもが実際には存在しない判例だったのだ。その弁護士は、ＣｈａｔＧＰＴを使って書面を作成したと白状した。きちんと確認せずに、ＣｈａｔＧＰＴの出力をそのまま裁判所に提出してしまったのである。

裁判所という限定的な空間で、かつ裁判官という専門家がレビューするような状況では、ＡＩの誤りが社会へ広まるリスクは比較的低いかもしれない。しかし、より広まりやすく危険な嘘もある。ＣｈａｔＧＰＴは、オーストラリア・メルボルン近郊のとある地方都市の長であるブライアン・フッド氏が、二〇年前の贈収賄事件に関与したと出力した。しかし、これは全くの嘘で、実際には、フッド氏はその贈収賄事件を告発した人物だったのだ。選挙で選出された公職者に関するこのような虚偽（フェイクニュース）が仮に拡散してしまえば、民主主義への脅威ともなり得る。

虚偽情報は、経済にも影響を与える。二〇二三年五月には、生成ＡＩが作成した米国の国防総省付近で爆発が起きたかのような画像が拡散され、ニューヨーク株式市場のダウ平均株価が一時一〇〇ドル以上上下落する事態になった。

（4）安全性

ＡＩシステムが物理的なモノに接続されている場合には、ＡＩのリスクが生命や身体に及ぶこともある。二〇一六年、自動運転中のテスラの車が、信号のない交差点を通過していたトレーラートラックに潜り込む形で衝突し、乗員が死亡した。原因は、自動運転システムが、対向車の白いトレーラーを適切に認識できなかったためといわれている。二〇一九年には、ウーバーの自動運転車が、車道上を歩いていた歩行者を死亡させる事故を起こしてしまった。アルゴリズムが、車道に人がいることを想定していなかったことが根本的な原因とされている。また、ゼネラルモーターズ傘下の自動運転車「クルーズ」は、消防車との衝突事故や、人を下敷きにしたまま六メートル引きずってしまう事故などが相次ぎ、二〇二三年一〇月には自動運転の営業許可を無期限で停止されてしまった。いずれの場合も、人間が運転していれば、通常は回避できたケースだったといえる。AIが学習したデータの中から分析できる範囲でしか作動しないこと、その挙動を人間が予測したり説明したりすることが困難であること、路上におけるリスクには無数の可能性があることなどを考えると、このような「人間であれば防げそうな事故」を完全にゼロにすることは不可能だ。

AIが制御するシステムがこのような物理的な事故を起こす場面は、自動運転車に限られない。介護ロボットや配送ロボット、ドローン、建設機械など、既に様々な場面でAIが使われており、かつその使用場面は今後も増えると考えられる。AIが我々の生命や身体に与えるリスクは、より大きくなっていくことだろう。ただし、ここでは二つの点を指摘しておきたい。

第一に、ＡＩのリスクをなくすことはできないのと同様に、人間によるリスクもなくすことはできない。現に、日本だけでも毎年二五〇〇名を超える生命が交通事故で失われており、そのほとんどは人為的な不注意やミスによるものだ。自動運転の技術が成熟することで、この数をゼロにはできなくても、大幅に減らすことはできるかもしれない。

第二に、ＡＩによる操作が成熟していないうちは、人間が監視することでリスクを低減できることもある。実際、先に述べた自動運転車の事故事例でも、いざというときにブレーキを踏む役割の人間が乗っていた。しかし、二〇一六年のケースでは、システムが再三にわたって手動運転に切り替えるように警告していたが無視されており、二〇一九年のケースでは、乗員は動画を視聴するなど注意が散漫になっていた。その意味では、ＡＩではなく人間が起こした事故だと評価することもできなくはない。しかし、自動運転車の乗員に、自分で運転しているのと同じレベルの注意義務を負わせることは本当に妥当だろうか。滅多に事故を起こさない自動運転車に何時間も乗っていて、人間は本当に高度の注意力を保っていることができるだろうか。こうした点については、将来の制度設計にあたって考慮が必要だ。

（５）セキュリティ

インターネットが普及して以来、常にユーザーを脅かしてきたのがサイバーセキュリティの問題だ。同様に、ＡＩについても、その技術的特性につけ込んだセキュリティ上のリスクが存在する。

たとえば、ＡＩの挙動をおかしくさせる入力を行う「敵対的入力」と呼ばれる手法がある。ワシントン大学のチームは、道路標識にいくつかシールを貼るだけで、右折標識や停止標識を「時速四五マイル（七二キロメートル）制限」と誤認識させることができた。OpenAI社の研究によれば、パンダの画像に特定のノイズ（人間が見ると、ブラウン管テレビ時代の砂嵐のようなもの）を加えると、ＡＩにその画像を「テナガザル」と誤って判定させることができる。

ＣｈａｔＧＰＴのような大規模言語モデルに悪意のある入力を行うことは、「プロンプトインジェクション」と呼ばれる。大規模言語モデルでは、学習に利用したデータソースの開示や、誹謗中傷などの不適切な回答を行わないように設定がなされているが、特定の指示を行うことで、そのような設定を回避して機密情報を引き出したり、不適切な回答を意図的に引き出したりできることが指摘されている。

これらは、ＡＩモデル自体には手を加えずに不適切な出力を行わせる攻撃手法だが、ＡＩのアルゴリズム自体を狂わせる方法として、「データポイズニング（毒の注入）」という攻

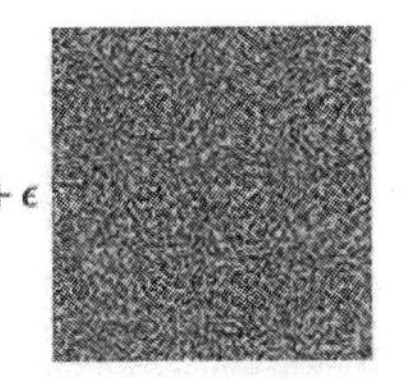

"panda"
57.7% confidence

"gibbon"
99.3% confidence

図４：パンダの画像にノイズを加えることで、テナガザル（ギボン）と判定させた例

出典　https://openai.com/research/attacking-machine-learning-with-adversarial-examples

撃手法がある。古典的な例は、マイクロソフトが二〇一六年にサービスを提供したTay（テイ）というチャットボットの事例だ。Tayは、ユーザーと自動的に会話をすると共に、そこから得られた会話データから学習をして、より自然な会話ができるように成長することが期待されていた。しかし、サービス開始から一日もしないうちに、人種差別や陰謀論のような問題発言を繰り返すようになってしまった。悪意をもったユーザーが、そのような不適切な内容をTayに覚えこませ、アルゴリズムを狂わせてしまったのだ。二〇二三年二月、グーグルやロバスト・インテリジェンスなどによる研究チームが、ウェブ上のデータにわずかな改ざんを加えるだけで、それを学習したAIモデルの挙動に影響を与えられるという研究を公表した。具体的には、期限切れのドメインを購入することや、Wikipediaなどの多く

参照されるデータに改ざんを加えることで、それらを学習したモデルの挙動を狂わせることが十分に可能になるというものだ。

これらのほかにも、ＡＩに対する攻撃には様々な種類があるが、いずれもＡＩの技術的特性と切っても切り離せない関係にある。インターネットにおけるサイバーセキュリティのように、今後もＡＩに対する攻撃者とその防御者の間の絶え間ない戦いが続いていくことだろう。

2. AIの社会的リスク

これまでに述べてきたものは、いずれも、ディープラーニングという技術の特徴に伴って生じてしまうリスクであった。とはいえ、このような様々なリスクを抱えながらも、ＡＩシステムが従来のシステムと比べて圧倒的な、しばしば人間をはるかに凌駕する精度と効率の知的処理を行えることは確かである。生成ＡＩの性能の飛躍的向上もあり、今後、我々の生活のあらゆる場面はＡＩと切っても切り離せないものになるだろう。以下では、そのように

ＡＩの活用が進むことに伴って生じる社会的なリスクを紹介していく。

（1）プライバシー

a．プロファイリング

ＡＩは、極めて精緻な分析ができてしまうために、ある程度のデータがあれば、個人の私生活や思想、病気などの他人に知られたくない情報や、企業や国家の機密事項を、高精度で推測できてしまう。個人について内心や行動の推測を行うことは、「プロファイリング」とも呼ばれる。

もう一〇年以上前の話だが、二〇一二年に、米国大手スーパーマーケットのターゲット社が行った「妊娠予測スコア」が問題になったことがあった。同社は、妊婦の購入パターン（特定のサプリメントや保湿剤など）を機械学習によって割り出し、妊娠の可能性が高いと思われる顧客に関連グッズのクーポンを送付するサービスを行っていた。ある日、そのスーパーからとある女子高生宛てに、妊婦用のクーポンが届いた。怒った父親が乗り込んできて、「まだ高校生の娘に妊婦用のクーポンを送るとはどういうつもりだ！」と抗議した。しかし後日、その女子高生は本当に妊娠していたことが判明したのだ。このように、本人の思いもよらない方法によって、他人に知られたくない機微な情報が明らかにされてしまうという事例は後を絶たない。

近年の研究では、顔の特徴だけで、性的嗜好を九割程度の確率で、所属政党を七割ぐらいの確率で的中させられるという報告もある。なお、ここで機械が具体的にどのような性質に着目しているのかは、人間に説明することができない。つまり、「丸顔か面長か」「口角が上がっているか下がっているか」という単純な特徴ではなく、いうなれば言葉で表現できない「顔つき」に近いものを機械が独自に分析しているのである。

このように、秘密にしておきたいプライバシー情報が第三者にもっともらしく推測されるというのは、それが正確であるにせよ誤りであるにせよ、重大なリスクである。しかし、話はそれで終わりではない。そうした推測情報に基づいて、我々の意図に反して、我々の行動が誘導されたり、不明確な根拠に基づいて評価されたりするリスクもある。以下では、そうしたリスクについてみていこう。

b．行動の抑制や誘導

捜査機関などの国家権力が、町中に設置された監視カメラを使って人々の行動をモニタリングすることは、ＡＩの登場以前からプライバシー上のリスクとして問題とされてきた。しかし、これに画像認識ＡＩを組み合わせることで、人間の目によるチェックとは比べ物にならないほど精緻で具体的な個人の行動の追跡や分析が可能となる。

もちろん、こうした技術が正しく使われるのであれば、犯罪の予防や早期解決などに大いに役立つだろう。他方で、政治的な対立者の監視や、権力側の個人的な欲望のために使われる可能性もある。そのような誤った利用は、我々個人の自由な行動や思想の表明を抑圧し、自由主義や民主主義を危険にさらすものだといえるだろう。また、マイノリティの人々に関する識別精度が低い場合には、そうした人々への誤認逮捕が増え、差別が再生産されるかもしれない。こうした観点から、ＥＵのＡＩ法案や米国の様々な州法では、公権力による顔識別技術の利用が禁止されるか、厳格な制限が課されている。

個人の行動に影響を与えるのは、民間企業によるサービスも同様である。たとえば、ソーシャルメディアは、個人の性格や思想を事細かに分析できるデータをもっているために、それらのデータを利用してできるだけ自社サービスへの滞在時間を確保しようとする。しかし、ユーザーがつい見てしまう情報が、そのユーザーにとって必ずしも適切な情報とは限らない。二〇二一年のフェイスブックの元社員の内部告発によれば、同社の経営陣は、アルゴリズムが有害情報を拡散し差別を煽動していたことを認識していた。さらには、同社傘下のインスタグラムを見ることで、一〇代女子の一三・五％が「自殺願望が悪化した」と回答し、一七％が「拒食や過食の摂食障害が悪化した」と答えているという内部資料もあった。しかし、経営陣は、そうした事情を認識しつつも、収益のためにアルゴリズムを維持したのである。事態が明るみに出ると、世界中から厳しい批判の声が投げかけられた。

c．スコアリング

人間には、他人の内心がそうそう分かるものではない。「行動は言葉よりも雄弁である」や「目は口ほどに物を言う」という格言のとおり、人の客観的な行動や表情にこそ、その人の本心が現れるものだ。そして、そのような情報を、本人の社会的な評価に使おうという発想——いわゆる「スコアリング」——がビジネスの観点から出てくるのは、いたって自然なことである。

スコアリングが問題となった国内の例としてよく知られるのは、リクルート社の提供する就活サイトである「リクナビ」の事件だ。二〇一九年当時、リクナビでは、各就活生のウェブサイト閲覧データなどをもとに、就活生個人の内定辞退率を機械学習によって予測し、有償で三八社に提供していた。就活生の同意は取られていなかったか、形式的に取られていた場合でも十分に理解されたものではなかった。

この問題は、一面では知られたくない情報を知られるプライバシーの問題ともいえるが、それだけではない。実際の辞退率が正確なものであったかどうかにかかわらず、採用企業側で、その内定辞退予測がある程度信頼できると思われれば、それだけで就職の採否という重大な転機に影響を与えてしまう。そうした人生設計に関する重大な決定が、本人の与り知らないところで明確な説明もなく行われてしまうことに問題があるのだ。なお、同社では、二〇二一年にプライバシーセンターを立ち上げ、二〇二三年にはＡＩ活用指針を定めて、適切なガバナンスに取り組んでいる。

その他の事例として、「Yahoo!スコア」の例がある。同サービスでは、本人確認の進行度、信用行動度、消費行動度、Yahoo! JAPAN利用度およびそれらを集約した総合スコアによって、「信用スコア」を算出し、それに応じてサービスの優遇などの特典を与えるサービスを展開していた。それにあたっては、各ユーザーがYahoo!スコアの削除と利用停止を選択できることや、信用スコアの第三者への提供には同意を必要とすることなどの配慮が行われていた。しかし、信用スコアの測定が初期設定でオンにされていたことで、ユーザーが知らないうちにスコアが算出されていたことが一部から問題視され、最終的に当該サービスは終了してしまったのだ。ここでのスコアは、就活のような人生に重大な影響を及ぼすような内容ではなく、また第三者へのスコア提供にもきちんと同意を取ることが想定されていたものではあるが、そもそもユーザーへ十分な説明もなくスコアリングがされていたことが、一部のユーザーの不信感を生じさせてしまったと考えられる。

このように、スコアリングは、「知られたくない秘密を暴露される」という古典的なプライバシー問題だけではなく、「根拠がはっきりしない評価を一方的にされ、それを他人が信じてしまう」ことから生じる、人の尊厳や経済的利益に対するリスクも含むものだといえる。

(2)民主主義への影響

AIは、民主主義の前提となる健全な言論空間にもリスクをもたらす。これまでも問題とされてきたのは、ソーシャルメディアの影響だ。トランプ氏が米大統領になった二〇一六年の選挙の背後では、選挙コンサルティング企業であるケンブリッジ・アナリティカ社が、フェイスブックからダウンロードされた五〇〇〇万人分のユーザー情報を用いて、同氏の当選を後押しするように広告キャンペーンを打ったことが報告されている(ケンブリッジ・アナリティカ事件)。利用されたユーザー情報は、各人の政治的ポジションを十分に推測できるような質のものであった。このような意図的な誘導に限らずとも、ソーシャルメディアはユーザーにできるだけ多くの広告を表示することがビジネス上の利益となるので、その目的に最適化したアルゴリズムは、各ユーザーに対して、自分と似た意見や思想しか表示しない「フィルターバブル」と呼ばれる現象を起こしてしまう。これによって世論は分断され、多様な意見にもとづく熟議を基本とする民主主義がリスクにさらされるのだ。

昨今では、生成ＡＩに含まれるバイアスが民主主義に与えるリスクも懸念されている。生成ＡＩが、訓練データの内容や、訓練を行う人間（たとえば、ＡＩの出力結果を採点する評価者）の影響を受けて、特定の政治的立場や思想的立場の意見を色濃く反映してしまうということがあり得るためだ。それらは誰も気が付かないうちに世論を一定の方向に誘導してしまうかもしれない。スタンフォード大学の研究によれば、人間のフィードバックから学習したあるＡＩモデルが、人間が介入しなかったＡＩモデルに比べて、政治的テーマについてリベラル寄りの回答をしたことが報告されている。

（3）不正目的・攻撃目的での利用

人類にとって、火や包丁は生きていくために欠かせないツールだが、人を傷つける目的でこれらを使えば、非常に大きなリスクとなる。ＡＩについても同様に、これを使って他人に害を与えようと思えば様々な使い方ができる。先に述べた、ＡＩを用いた違法な監視も、そうした悪用の一例だ。

生成ＡＩの登場は、ＡＩの悪用のハードルを大きく下げた。ＡＩによる画像生成や音声生成機能を使えば、簡単に高精度の偽画像や偽動画を作ることができる（これをディープフェイクという）。二〇一八年には、オバマ前大統領がトランプ大統領（いずれも当時）を罵るディープフェイク画像が出回り大きな話題となった。二〇二三年一一月には、生成ＡＩを用いて、岸田総理がニュース番組で卑猥な言葉を発しているかのように捏造した動画が拡散され、問題となった。特定の人物に関するフェイク動画を作ることは、もはや誰にとってもそう難しいことではない。もちろん、ディープフェイクがリスクをもたらすのは政治的な場面に限らない。インターネットに出回るフェイク動画の九六％はポルノ動画であるとの調査もあり、個人の尊厳や名声を大きく傷つけるような不適切な利用のリスクも高まっている。

その他の生成ＡＩの悪用方法としては、文章生成ＡＩに命じて誹謗中傷を量産したり、コンピューターウイルスを作成したりすることもあり得る。もちろん生成ＡＩの開発者は、こうした悪用をされないように対策を行っているが、セキュリティの項目で述べたように、巧妙なプロンプトインジェクションなどを行うことによって、こうした対策を回避される可能性は常にある。

ＡＩを悪用するのは、民間人だけではない。むしろより深刻なのは、国家による組織的な行動だ。デジタル時代においては、他国の領土に物理的に攻め込むことなく、ＡＩを使ってハッキングを行ったり、フェイクコンテンツで民主主義を揺さぶったりすることができる。二〇一六年の米国大統領選においては、ロシアが国家ぐるみでハッキングやソーシャルメディアへの介入を行ったという「ロシアゲート」疑惑が大々的に報道された。

さらに、物理的な兵器とＡＩを組み合わせれば、自軍の損害を減らしつつ、敵軍への攻撃をより効果的かつ効率的にできるようになる。そのようなＡＩの軍事利用について、国際人道法の国家の義務に合致した形で、責任ある人間の指揮命令系統の下で運用し、責任の所在を明らかにする必要があること等を確認する「ＡＩと自律性の責任ある軍事利用に関する政治宣言」は、日米欧を含む四六の国と地域（二〇二三年一一月時点）によって支持されている。

(4) 経済への影響

ＡＩシステムは、社会全体の経済状況にも大きな影響を与えている。以下ではとりわけ既に顕著な影響が現れているものとして、いわゆる勝者総獲りの状況と、人間の仕事がＡＩに取って代わられる問題について説明する。

a．力の集中

ＡＩの性能は、学習するデータの質と量に決定的に左右される。現在、圧倒的な量と質のデータを保有しているのは、一部のグローバルテック企業だ。ＧＡＦＡＭ（Google、Amazon、Facebook、Apple、Microsoft）と総称されるデジタルプラットフォーム企業は、その典型例だ。ＡＩには、多くのユーザーを獲得すると多くのデータが集まり、これによってサービスの質が向上し、より多くのユーザーを獲得できるという正のスパイラルを生みやすいという特徴がある。また、ソーシャルメディアやスマートフォンのＯＳ（アップルのｉＯＳやグーグルのアンドロイドのようなオペレーティングシステム）のように、一度利用したユーザーには自身のデータや購入履歴が蓄積されるために、乗り換えに大きな時間的・金銭的コストがかかるというロックイン効果も生じる。このように、データは一部の強力な企業に集中する傾向がある。さらに、そのような質の高いデータや充実した研究設備、そして高い給与を求めて、優れた人材もビッグテック企業に集まりやすい。その結果、高性能のＡＩも、こうしたビッグテック企業のグループからの方が生まれやすくなる。

サービス開発コストも新規参入の障壁となる。たとえば、ＣｈａｔＧＰＴのような大規模自然言語モデルは、演算に膨大なコストがかかる。ＣｈａｔＧＰＴのアルゴリズムの学習には一回あたり約九〇億円かかり、また、日々の運用にも一億円のコストがかかるとの試算もある。この規模の金額は、通常のスタートアップが容易に拠出できるものではない。

ビッグテック企業への力の集中は、二〇一〇年代前半から指摘されており、競争政策についても数多の議論が行われてきたが、結果として寡占状況は緩和されるどころか、ますます強まっている。二〇二三年一〇月時点で、世界の株式総額トップ八のうちの五社がＧＡＦＡ

Ｍだ。このように、ＡＩ社会の到来は、一部の超強力なグローバルプレイヤーの総獲りという状況をもたらす可能性がある。

b．仕事の代替

従来の機械は、肉体的な労働を代替するのが主な役割であったが、ＡＩの登場によって、多くの知的労働をも代替できるようになった。ゴールドマンサックスが二〇二三年に発表した推計によれば、今存在する仕事のうち、三分の二はＡＩによる自動化の影響を受けることになり、全世界で三億人分のフルタイムの業務がＡＩによって代替される可能性があるという。これは、雇用が奪われるという意味では多くの人にとってリスクだといえるだろう。他方で、多くの先進国では、少子高齢化などに伴い労働力が不足している。日本では、二〇四〇年までに国内で一一〇〇万人の労働力が不足するという推計もある。また、日本企業は長年にわたって生産性の低下が問題視されており、ＡＩはこのような問題にも解決をもたらすことができると考えられる。つまり我々は、ＡＩで代替できる労働はＡＩに任せて労働力不足を補い生産性を高めつつ、人間はそうしたＡＩを活用したり評価したりする役割を担うべきなのだ。こうした労働のシフトには、教育や訓練が必要であり、そのための金銭的・時間的な投資が必要だ。

（5）財産権への影響

人間の経済活動は、所有権や知的財産権などの権利を行使したり交換したりすることで行われる。これらの権利は、コンピューターが生まれるよりはるか以前から存在していたものであり、その内容も基本的には「アナログ社会」を前提としたものだ。しかし、AIの登場は、そのような前提に大きな揺さぶりをかけており、我々が当然と思っていた権利の内容についても見直しの必要が出てきている。ここでは、著作権とデータに関する権利について紹介しよう。

a．著作権

人間が作る文章やイラスト、楽曲などには、特に登録や公表などをしなくても、自動的に著作権が発生する。そして、他人の著作物に「依拠」して、それと「類似」したコンテンツを作り出すことは、著作権の侵害（厳密には、複製権と翻案権の侵害）にあたり得る。単純化すれば、人間が、自分で見聞きした作品を真似して同じような作品を作ったら、著作権侵害の可能性あり、というわけだ。

これは、思想または感情を創作的に表現したよ、う、に、見、え、るコンテンツを作れるのが人間だけだった時代には、分かりやすいルールであった。たとえば、コピー機を使って違法な複製を行った場合、コピー機ではなく、コピーをした人間が既存の著作物に「依拠」して「類似」するコンテンツを作ったことが明らかなので、その人物が著作権を侵害したと判断することに問題はない。しかし、今やＡＩが、人間が書いたのと見分けがつかないようなコンテンツを作成できてしまう。それが、既存の著作物と「類似」した内容になることは十分にあり得る。それでは、それが既存の著作物に「依拠」した（既存の著作物に接して、それを自己の作品の中に用いた）といえるだろうか。ＡＩは、学習に使ったデータによってアルゴリズムを構築し、そのアルゴリズムを用いて出力を行う。この過程で、学習データに著作物が使われており、それとほぼ同じ出力が出た場合には、「依拠」があるといえるという考えもある。しかし、ＡＩが学習したデータは、複雑なパラメータとして断片化・抽象化されているので、出力がたまたま既存の著作物と似ていたとしても、それは偶然の結果に過ぎず、「依拠」はないという見解もある。これらは、単なる法解釈の問題として片づけるべきではなく、既存コンテンツの作成者の利益保護と、生成ＡＩによる創作性拡張のバランスをどう取るかという問題として議論されるべきことだ。

なお、生成ＡＩと著作物の関係については、生成されたコンテンツについてそもそも著作権が発生するのか、また、ＡＩを学習させる際に著作権者の許可なく著作物を使ってよいかといった点についても議論がなされている。後者について、日本では原則として使ってよいとされているが、これは世界的に珍しいルールだ。そのため、日本が「機械学習天国」といわれることもある。

b．データに関する権利

ＡＩ社会において、権利関係の整理が必要となるのは、著作権についてだけではない。アルゴリズムの性能を決定するデータについて、法的にどのような保護を与えるのかという点についても、様々な議論がある。

近代社会の財産権の基本形態は、形のある「物」に対する「所有権」であった。たとえ大量生産の工業製品であったとしても、それぞれの物はこの世に一つしかなく、所有者が、その物を使ったり貸したり捨てたりする包括的な権利（所有権）を有している。

他方、意外に思われるかもしれないが、「二一世紀の石油」ともいわれるデータそのものに対して、所有権のように一般的に定められた権利は存在しない。ここでのデータとは、先に述べた著作物とは異なり、スマホやカーナビから取られた位置データや、店舗の売り上げデータ、患者から取られた医療データなどだ。これらは、思想または感情を表現したものではないので著作物ではなく、また、形のある「物」ではないので、所有物にもならない。

もちろん、個人情報や営業秘密は法律によって保護されているし、思想または感情の表現については著作権が発生することもある。さらに、データを共有する当事者間では、データの取り扱いに関する条件が契約で決められることもある。しかし、これらの制約がなければ、誰もが自由にデータを使うことができるというのが、デフォルトルールなのだ。

これは、データを使ってアルゴリズムを開発する観点からは望ましいことに思えるが、何の保護もなければ、各企業がデータを囲い込んでしまい、なかなか外に出てこないことにもなる。その結果として、広範な顧客接点をもつ一部の強大なプラットフォームがデータを総獲りできてしまうという状況にもなる。他方で、何らかの権利を作ろうとすると、「物」とは異なるデータの性質のせいで、様々な難題が降りかかってくる。データは同じものをいくらでも複製でき、複数の人たちが同時に使えるので、誰かが特定のデータを排他的に利用できるようにしなければならない必然性はない。とはいえ、一度出回ると取り返しがつかないし、違法な取得や利用を把握することも困難だ。

そのため、一定のデータを保護するための新たな制度（日本では、有償で販売されるデータセットなどが「限定提供データ」として保護されている）や、個人が自身に関するデータにアクセスできたり移転したりできる権利（ＥＵの一般データ保護規則〔ＧＤＰＲ〕では、ユーザーが自らのデータにアクセスできたりそれを移転できたりする権利が定められている）を創設する試みが世界各国で行われている。

（6）環境負荷

二〇二三年の七月は、世界の観測史上最も暑い夏となった。国連のグテーレス事務総長が、

「地球温暖化の時代は終わり、地球沸騰化（global boiling）の時代が来た」と述べたことは記憶に新しい。

温暖化の一因として指摘されているのが、二酸化炭素の排出だ。そして、ＡＩの訓練や出力に使われる電力は、多くの二酸化炭素の排出をもたらしている。グーグルとカリフォルニア大学の研究によれば、現在のＣｈａｔＧＰＴに使われているＧＰＴ‐４より一世代前のＧＰＴ‐３の一回の訓練で生じる二酸化炭素量は五〇二トンであり、これは一一二台のガソリン車を一年間走らせるのと同じ量にあたる。また、同モデルを使った入出力（いわゆる「生成」）を一年間行うことで、八・四トンの二酸化炭素が排出されるというデータもあり、これは日本人一人当たりの二酸化炭素排出量とほぼ同じだ。このＧＰＴ‐３のパラメータ数は一七五〇億個であり、ＧＰＴ‐４のパラメータ数は公表されていないが、五〇〇〇億〜一兆個ほどではないかと言われている。また、ＣｈａｔＧＰＴのユーザー数は、ローンチ以来、二か月で一億人以上にのぼった。単純計算すると、ＣｈａｔＧＰＴというひとつのサービス

だけで、日本全国の二酸化炭素排出量を上回る量の二酸化炭素が排出されている可能性があるのだ。

このように、ＡＩを運用することによる二酸化炭素排出量は膨大で、サステナビリティ上大きなリスクを抱えている。環境負担の少ないモデルをいかに開発できるかが、今後のＡＩ実装の上で重要な考慮要素になるだろう。

以上、ＡＩに関する様々なリスクを、技術的リスクと社会的リスクに分けて紹介してきたが、このような区別は絶対的なものではない。たとえば、バイアスは、ＡＩが学習したデータの偏りを反映してしまうという意味では「技術的」なリスクだといえるが、そのうえで、どこまでが許容されるバイアスかという問いは「社会的」なものでもある。それでも、技術的リスクと社会的リスクの違いを意識することは、以下の点で有用だ。

第一に、組織内での役割分担の違いだ。技術的リスクについては開発部門や品質管理部門が対応に適しているが、社会的リスクについてはコンプライアンス部門やリスク管理部門が対応に適している場合が多い。

第二に、技術的リスクと社会的リスクは、トレードオフの関係にあることが多い。たとえば、プライバシーという社会的リスクに対する懸念を解消するために、使用するデータを制限したり、ダミーデータを混ぜたりすると、ＡＩシステムの精度が落ち、技術的なリスクが増加してしまう。だからこそ、ＡＩリスクについては、異なる部門間での連携が非常に重要になる。

第三に、技術的リスクについては、ＡＩを開発・提供する企業に最終的な責任を負わせることで対処できることも多いが、社会的リスクについては、社会全体で対処したり議論したりする必要があるものが多い。たとえば、防犯や感染症対策の目的でどこまで顔識別技術を用いてよいかということや、生成ＡＩによる著作権侵害をどのような基準で判断するかということは、一事業者で判断することは困難であり、様々なステークホルダーによる議論を通じて判断する必要があるだろう。

第四に、技術的リスクは客観的に評価可能な要素も多いので、国際的なルールや基準を作る余地は少なくないが、社会的リスクは文化的・社会的・宗教的背景が大きく影響するため、国際的に統一されたルールや基準を作ることはより困難だろう。

3. ＡＩリスクの本質

ここで、少し冷静になって考えてみよう。以上に述べたリスクは、どこまでが本当にＡＩに固有のリスクなのだろうか。

たとえば、ＡＩの技術的なリスクとして挙げた誤判定や嘘、事故などは、人間が頻繁にやらかしてしまうことである。また、バイアスについても、自覚の有無にかかわらず、人間こそ自らの偏見にとらわれるものだ（「社長」と聞いて、スーツとネクタイを着用した高齢男性を思い浮かべたとしたら、あなたの「社長」像にはそのようなバイアスがかかっている）。よく訓練されたＡＩであれば、人間がうっかりで起こしてしまうミスやすぐに思いつくようなバイアスは除去することができるし、むしろ人間が意識しないバイアスを見抜くことさえできるだろう。さらに、ＡＩは、人間のように疲れることもないし、飲酒運転することもない。

それでは、社会的リスクについてはどうだろうか。先ほど、データ分析による個人の行動の監視や消費行動の操作のリスクを挙げたが、監視カメラの画像を解析して犯人を捜したり、顧客データを分析して消費者の行動を予測したりすることは、これまでも人間が行ってきたことだ。それをＡＩが高精度かつ効率的に行えることは、基本的には歓迎すべきなのではないだろうか。

このように考えると、ＡＩリスクとして語られることの多くは、実は人間自らが行う場合でも同様に問題となるリスクだといえそうだ。そうだとすれば、ＡＩリスクに対しても、人間に対するのと同じようなルールや制度を当てはめて対処していけばよいのだろうか。この問いこそが、ＡＩガバナンスの本質を浮き彫りにする。以下では、人間によるリスクとは異なるＡＩリスクの特徴をみていこう。

（1）予測や説明の難しさ

本書で議論しているディープラーニングの技術は、数千～数百万の訓練データによって、数万～数億個のパラメータの最適化を行うことが一般的である。ＣｈａｔＧＰＴのような大規模言語モデルとなると、さらにその数は跳ね上がり、延べ数千億単語のテキストデータを学習して、数千億個のパラメータを調整するような規模となる。

これらのパラメータは、何重にも積み重なった「深い」層で構成されているため、ある入力を行った際にそこからどのような出力が得られるかを、人間が事前に正確に予測することはほぼ不可能だ。また、ある出力が得られた場合に、どの特徴量がどれだけ寄与したのかを、人間が事後的に説明することも不可能だ。

たとえば、ＣｈａｔＧＰＴのような文章生成ＡＩでは、それ以前の文章をもとに、次に来る確率が高い単語を出力しているが、常に最も確率の高い単語を選ぶと、うまくいかないことが知られている。ランダムに、確率の低い単語を登場させる方が、より良い文章が作れるのだ。具体的には、確率の低い単語を使う頻度を決める「温度（Temperature）」というパラメータを〇・八に設定すると結果的にはうまくいくのであるが、それがなぜなのかは、少なくとも現時点において理論的な説明はなされていない。このように、たとえ試行錯誤の末に性能の高いアルゴリズムができたとしても、言えるのは「こうすればうまくいった」ということで、なぜうまくいったのか、また、将来どんな状況でも同様にうまくいくのかは、エンジニア自身にも分からないことが多い。このような特徴を指して、ＡＩが「ブラックボックス」といわれることもある。

このようなブラックボックスの問題は、ＡＩの実装にあたって大きな課題となる。事前に結果を予想できないことは、安全性に関わる自動運転車などでは特に深刻な問題となるし、ＡＩベンダーがクライアントの要求に応じてＡＩ開発を行う際に、性能保証できないという取引上の問題も生じる。

また、事後的に説明ができないことは、人権や倫理の観点からも問題となる。被告人の再犯率の予想や、消費者への与信額の判断において、「理由ははっきりしないがＡＩによればこういう判断だ」というのは問題だろう。ブラックボックス性はビジネス上の利益の点でも問題となる。たとえば、アマゾンや楽天などのオンラインモールで商品をレコメンドするＡＩがブラックボックスであることは、消費者にとってみれば大したリスクではないが（欲しくないものが表示されても買わなければいいからだ）、オンラインモールで商品を売るショップにとっては、死活問題だ。自分のショップが上位に表示されなければ、多くの消費者には見向きもされないからだ。

こうした問題に対処するため、「説明可能なＡＩ」（ＸＡＩ：Explainable AI）という分野の研究も進んでいる。しかし、現時点では、これらは入力と出力の相関関係を説明するものに過ぎず、因果関係を説明するものではないといった限界がある。

このようなブラックボックスの問題については、よく、「人間の判断こそブラックボックスである」といわれることがある。確かに、人間の判断は客観的に説明できるわけではない。本人は客観的に説明できるつもりでも、実際には、偏った知識やその日の気分が影響していることがほとんどだ。しかし、人間の判断の場合には、判断者（必ずしも個人とは限らず、組織の場合もある）がおり、その判断者に対して責任を取らせることができる。他方、ＡＩシステムについては、機械自体に責任を取らせることはできない。それでは、ＡＩシステムの提供に関与している人間に責任を求めることはできるだろうか。たとえＡＩの挙動自体について説明ができなかったとしても、ＡＩを使うこと自体への決定や、ＡＩの挙動の監視自体は人間も行うことができるから、そうした人に責任を求めることもできるだろう。しかし、ここに別の問題が浮上する。ＡＩシステムの裏には非常に多くの主体が関与しており、誰が何について責任を負うべきかという点が見えなくなってしまう問題だ。次にこの点について説明しよう。

(2) バリューチェーン上の主体の多さ

「これで終わりね……」「いや、まだだ。ここにもう一つチップがある。これも破壊しなければならない」。ジェームズ・キャメロン監督の傑作、『ターミネーター２』（一九九一）のラストシーンだ。主人公達を救うために未来から送られてきた、アーノルド・シュワルツェネッガー演じる抹殺ロボット（ターミネーター）Ｔ‐８００が、刺客のロボットＴ‐１０００を撃退した後、未来への痕跡を残さないために、自らのチップとボディを熔鉱炉で消滅させるよう主人公達に告げる。

いつ見ても感動的なシーンだが、現代のＡＩシステムは、このターミネーターのように、一個体のチップや端末を破壊すれば消え去るようなものではない。ＡＩを動かすアルゴリズムや、その学習のために必要なデータの多くはクラウドに保存され、ネットワーク通信によって提供されている。これらは、一か所が攻撃を受けても問題ないように、世界中にバックアップが置かれている。

　AIの提供に関与しているのは、チップ（半導体）の製造者、端末の製造者、通信事業者、クラウド事業者だけではない。AIサービスの構築には、データ提供者、アルゴリズムの開発者、アルゴリズムを利用したサービスの提供者などが関与する。生成AIのように、個人とインタラクティブに機能するAIでは、ユーザー自身も重要な価値創造者だ。

　バリューチェーン上に多くのステークホルダーがいるという現象は、もちろんAIに限った話ではない。大型旅客機のボーイング787の部品は、約二三〇万個あり、これらを世界二〇か国以上の五四〇〇か所の工場で製造している。しかし、これはあくまで旅客機という最終的な製品の一部品として製造されているものだ。

　しかし、AIサービスは、そのような最終製品のための分業とは異なる。クラウド、通信、OS（オペレーティングシステム）、AIの基盤モデル、そのAIを組み込んだアプリなど、異なる主体が運営する個々の独立したシステムが相互運用可能な形でつながり、最終的なサービスが提供されているのだ。クラウドは一つのAIサービスのためだけに設計されているわけではないし、OSはまさに様々なソフトウェアを動かすことのできるプラットフォームとしての機能を果たしている。

　このような、独立した複数のシステムがより大きなシステムを構成することを、システム

・オブ・システムズという。システム・オブ・システムズでは、一つのシステムにおける変更がその先につながった無数のシステムの何に影響するかを事前に想定することは難しく、先に述べたアルゴリズムのブラックボックス性とは別の意味での予測不可能性や不確実性を生んでいる。しかも、これらの変化は、上流から下流へという時系列に従って起きるのではなく、様々なシステムで同時進行的に起きるのだ。このような状況は、何か問題が起きた時に、一体それが誰の責任なのかを決めることも難しくしている。つまり、AIリスクは、何が起こるかも分からないし、誰のせいかも分からないという厄介な性質を有しているのだ。

(3) 技術革新や普及の速さ

二〇一二年は、機械学習にとって転機となる年であった。この年、コンピューターによる物体認識の精度を競う国際コンテストで、ディープラーニングを使ったトロント大学のチームが、圧倒的な識別率で優勝した。また、グーグルのチームがYouTubeの動画の中から、猫が映っているものを識別できるようになった。それからほんの一〇年あまりの間に、物体認識技術は、自動運転車が公道を走るような精度に向上し、自然言語処理モデルは、人間の書いたものと見分けがつかないような文章を瞬時に出力できるようになった。このように、AIの世界における技術革新のスピードは極めて速い。

技術革新が速ければ、その社会実装も速い。スマートフォンは、iPhoneの登場からたったの一五年で、世界人口の七割近い五〇億人以上のユーザーを獲得した。また、ＣｈａｔＧＰＴは、リリースから二か月で一億ユーザーを獲得した。これは、ひとつのサービスの普及速度として史上最高であった。

これらに応じて、ＡＩリスクの発生や拡散のスピードも加速した。素人でもできる簡単な操作で、ＡＩがコンピューターウイルスやフェイク動画を作れるようになる日がたった一〇年でくると予測できた人は、二〇一二年の時点でどれだけいただろうか。人間も日々学習し、成長していくものだが、一個体の基礎能力や技能の習得のスピードは、ＡＩのそれには到底及ばない。そのため、リスク対策もこれまでにない迅速な対応が求められるようになる。

（4）信頼性判断の難しさ

あなたは、初めて会う人やよく知らない商品・サービスを信用できるかどうかを、何によって判断しているだろうか。直接その人と話す機会があれば、話の内容だけでなく、態度や仕草も考慮して、信頼できるかどうかを判断できる場合もあるだろう。広く市場に出回っている商品・サービスであれば、多くの人が使っているのだから問題ないと思うかもしれない。規制されているから安心だ、ということもある。たとえば、食品に賞味期限や食品添加物の

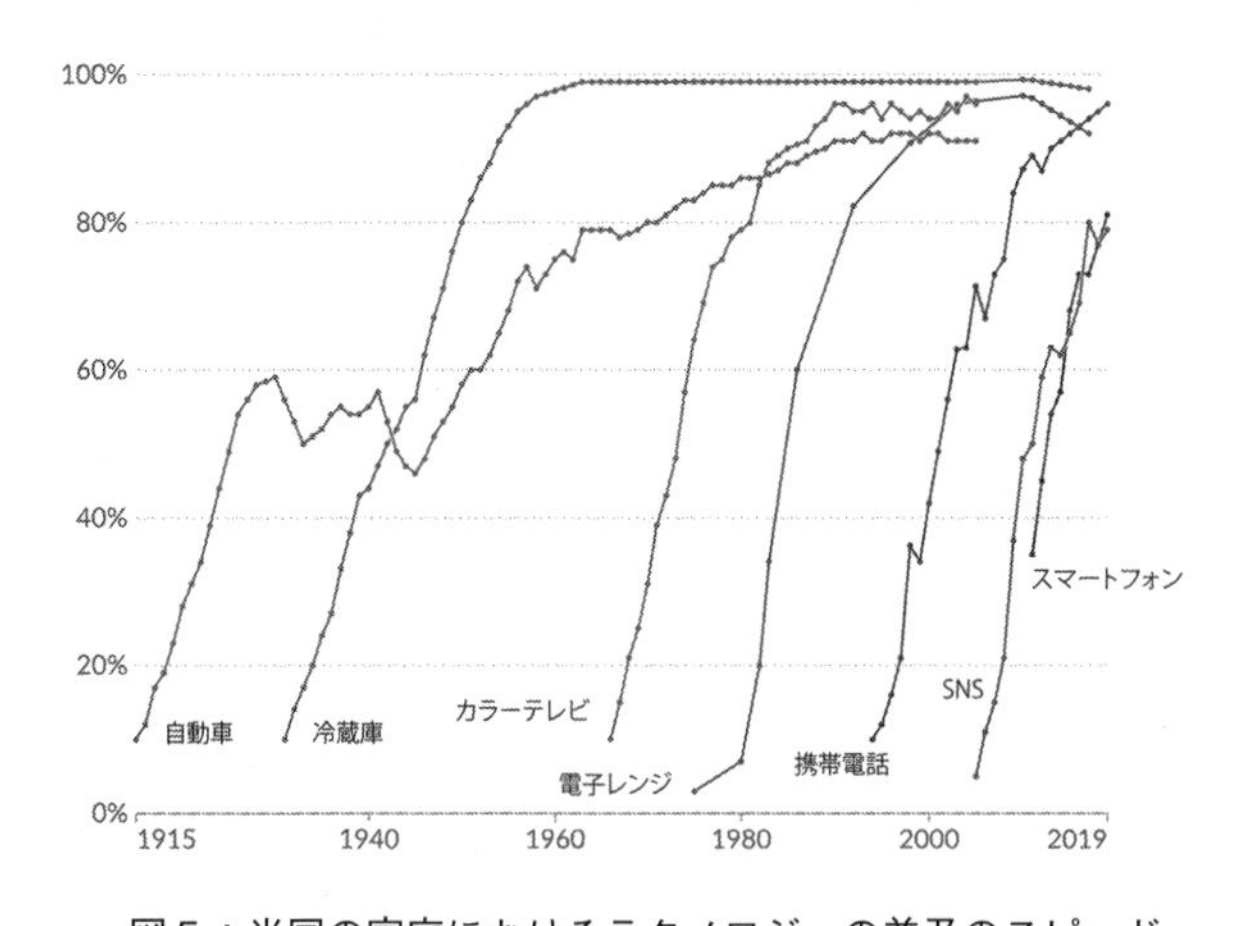

図５：米国の家庭におけるテクノロジーの普及のスピード

出典　Our World in Data “Share of United States households using specific technologies”

表示が記載されているのは食品衛生法などの規制によるものだし、車は免許を取った人だけが運転できると法律で定められているので、事故は一定の割合以下に抑えられている。個人情報の取り扱いが適切である事業者に付与される「Ｐマーク」など、民間主体による信頼性付与もある。

それでは、アルゴリズムの信頼性については どうだろうか。ほとんどの人は、アルゴリズム自体を信頼できるかどうか分からない。それは、アルゴリズムが開示されていないからというだけでなく、仮に開示されたとしても、それを理解することはおよそ普通の人間には困難だからだ。

それでは、規制に頼ることはできるだろうか。残念ながら、規制に「何が信頼できるＡＩか」を細かに書き込むことはできない。ＡＩのエコシステムは複雑で技術進歩のスピードも速い。そのような状況では、規制に細かいことを書き込めば書き込むほど、決まりごとが多すぎてイノベーションの余地を狭めてしまうし、規制の抜け道も多く作ってしまうからだ。

そこで考えられるのが、専門的で独立した第三者が、アルゴリズムを検証し評価するというものだ。欧州のＡＩ法案（本書の刊行直後に合意成立予定）では、そのような第三者認証機関による監査が一部のＡＩについて義務付けられているし、既にそのような認証サービスを提供している企業もある。しかし、これもそれほど容易ではない。個々のＡＩシステムのモデルや学習データ、用途は多岐にわたるうえ、アルゴリズムは頻繁に更新されていく。そのため、市場に出す前に一度認定を受ければよい、というものではなく、常に評価を受け続けなければならない。さらに、ＡＩリスクは、技術だけでなく、それを運営する組織やルールにも大きく影響される。

「信頼できるＡＩ」（Trustworthy AI）という言葉は、ＡＩガバナンスにおける世界共通のキーワードとなっているが、その実現は一筋縄ではいかず、結局のところ、様々な要素を組み合わせて総合的に判断するしかない。

(5) 正解のない倫理的な課題

ＡＩのガバナンスについて語るとき、「ＡＩ倫理」という言葉がよく使われる。倫理とは、社会生活で守るべき行動規範といった意味だ。何が「正しい」行いか、という問いは、プラトンやアリストテレスが活躍した古代ギリシャよりもはるか昔から、人類が直面してきた問いだ。そしてその行動規範は、長い時間をかけて、文化ごとに、また歴史的文脈ごとに醸成されてきた。

それでは、なぜＡＩについて倫理が重要となるのか。それは、ＡＩの登場によって、これまで人間が現実的に直面してこなかった様々な倫理的な問いが噴出してきているためだ。たとえば、本章２（１）で言及したプロファイリングやスコアリングは典型的な倫理問題であるが、そもそも人々の詳細な行動がデータによって把握できるようになったり、その結果として人々の行動や内心をかなりの精度で推測でき、人間の行動をある程度操作できるようになったりしたのは、ごく最近のことである。以下では、そのうち、何が守るべき価値なのか、また、様々な価値が対立する場合にそれらをどうバランスするべきか、といった問いについてみていく。

a．価値の定義の問題

ＡＩ実装の場面では、「守るべき価値は何か」という点が問題になることが多い。一例として、バイアスというリスクについて、そもそも「公平性」とは何かということが争われた有名な論争を紹介しよう。

米国の裁判所が使っている、被告人の再犯確率を予測する「ＣＯＭＰＡＳ」というプログラムがある。同プログラムでは、本人や家族の犯罪歴、友人関係、住所などをもとに、被告人が将来どれくらいの確率で再犯するかを予測し、刑罰の決定やリハビリプログラムにおいて参照している。二〇一六年、このアルゴリズムが、白人に比べて黒人の再犯率を不当に高く算出しているとの指摘がなされた。

実際の事例を単純化して、黒人の被告人一〇名と白人の被告人一〇名に対してこの再犯予想アルゴリズムが適用されたとしよう。アルゴリズムは、黒人のうち六名が、白人のうち二名が再犯するだろうと予測した。その後の追跡調査の結果、実際に再犯を行ったのは、黒人四名（アルゴリズムが再犯を予測した六名のうち三名と、再犯を予測しなかった四名のうち一名）、白人三名（アルゴリズムが再犯を予測した二名のうち一名と、再犯を予測しなかった八名のうち二名）であった。つまり、アルゴリズムは、黒人の再犯率を六割と予測したが、実際の黒人の再犯率は四割だったのに対し、白人の再犯率は二割と予測したが、実際の白人の再犯率は三割だったのだ。これは、黒人の再犯率を白人と比べて不当に高く予測する差別的なアルゴリズムだ。メディアが指摘したのは、このような理由であった。

しかし、次のように考えるとどうだろうか。黒人・白人とも、アルゴリズムが再犯すると予測した被告人の五〇％（黒人は３／６、白人は１／２）が実際に再犯している。また、アルゴリズムが再犯しないと予測した人の二五％（黒人は１／４、白人は２／８）が再犯に及んでいる。つまり、個人ごとのアルゴリズムの的中率は、黒人と白人の間で違わないのだ。ＣＯＭＰＡＳを提供する企業は、このような理由でアルゴリズムが差別的でないと主張した。

両者の基準は、いずれかが正しくいずれかが間違いというものではない。何が不当な差別かという点について様々な基準があり、どのような基準を採用することが適切かについては、ＡＩシステムの提供者側できちんと説明できるだけの準備をしておく必要があるのだ。

b．価値のバランスの問題

様々な価値がトレードオフの関係に立つことが問題となる場合も多い。有名な思考実験として、トロッコ（路面電車）問題がある。線路を走っていた路面電車が、分岐点の直前で制御不能になった。このままでは前方で作業中の五人が轢き殺されてしまう。この時たまたまあなたは線路の分岐器のすぐ側にいた。あなたが路面電車の進路を切り替えれば電車は支線に進路変更し、五人は確実に助かるが、しかしその支線では別の一人が作業しており、その一人が路面電車に轢かれてしまう。あなたは分岐器を操作して電車の進路を変えるべきか？というものだ。非常にシンプルな（かつ現実味のない）問題だが、哲学的には多くの解釈があり、正解というものはない。

トロッコ問題に似た状況として、自動車の運転がある。突然三人組が前方の車道を飛び出してきて、彼らを避けようとするとその脇の通行人一人を轢いてしまうといった場合だ。しかし、人間が運転する限りは、いざというときそこまで悠長に状況を認識している余裕はないだろう。判断する余裕はなく、とっさにハンドルを切るのが関の山だ。しかし、AIの能力をもってすれば、コンマ一秒以下の世界で状況を的確に認識し、ハンドルを切るかどうかを選択できるかもしれないので、開発にあたっては、そういう場面を想定しておく必要がある。すなわち企業は、こうした様々な場面における価値の選択を組み込むか、あるいはあえて介入しないかの選択をしなければならないのだ。なお、自動運転車のトロッコ問題については、マサチューセッツ工科大学が、生存者と犠牲者の数・性別・年齢・交通ルールを守っているか、といった様々な条件を設定して、国ごとの規範意識を調査した「モラル・マシン」という実験が有名だ。これによれば、各国の傾向は大きく異なり、日本は他国と比べて、信号無視をしている人に厳しく、生存者の数をあまり重視しないといった特徴があるようだ。

企業においては、ビジネスの収益とユーザーの保護のバランスをどう取るかという点が、悩ましい問題となる。既に言及した与信や採用におけるスコアリングの例や、ソーシャルメディアに偏ったコンテンツが表示される「フィルターバブル」現象は、企業収益の観点からは効率的だが、差別や民主主義に関するリスクを含むものであった。さらに難しいのは、これらが必ずしもユーザーに悪い影響を与えるだけではないということだ。与信や採用では、人間の感覚に頼るよりも客観的な分析を行える可能性があり、これまで差別されてきた女性や若者などに対して、より良い条件の融資や採用が行われるかもしれない。フィルターバブルについては、ユーザーの興味関心に近い情報が表示されるのはまさにユーザーの幸福追求に資するものであり、表示された情報をもとにどのような判断を行うかは（判断能力を欠く子供などは除いて）自己責任という考え方もあるだろう。もっとも、このような考え方も、ディープフェイクや意図的な世論誘導などの登場によって揺らいできている。

こうした価値のバランスの議論は、公共サービスの場面でも重要だ。たとえば、コロナ禍のようなパンデミックが発生した際、公道に設置された防犯カメラのデータに顔識別AIをかけて、陽性者の行動を特定することは許容されるべきだろうか。そこからさらに、陽性者と接触した人を顔識別AIによって割り出し、保健所から接触者へ直接連絡を行うことは適切だろうか。ここでは、公衆衛生とプライバシーという性質の異なる価値が天秤にかけられている。そこには絶対的な正解はなく、民主的なプロセスによる決定（それが単に投票によって選ばれた議員による決定だけではないことは、第6章で触れよう）が求められるのだ。

c．影響力と多様性の課題

ＡＩに関する倫理を考える上では、多様性も課題となる。様々な倫理的な課題に対して、これまで人間は、異なる価値観をもつ者の間で議論を重ね、国ごとに、地域ごとに、そしてコミュニティごとにそれぞれの判断を行ってきた。しかし、ＡＩのアルゴリズムは、個人をはるかに超える影響力を有するものである。規模の大きなサービスとなれば、国単位のみならず、グローバル単位で同じアルゴリズムが適用される可能性もある。全てのアルゴリズムには一定の倫理的選択が含まれていることを考えると、一つの倫理的選択が圧倒的な影響力をもってしまうことは価値観の多様性への脅威ともなり得る。昨今は、人間社会の多様性（ダイバーシティ）の重要性が強調されているが、同様に、アルゴリズムの多様性も重視しなければならない状況になっているといえるだろう。

(6) グローバル化

工業製品や食品などの「物」を輸出入するには、煩雑で時間やコストのかかる運送や税関手続きを経なければならないが、デジタルサービスは、そのような手続きを経ず瞬時に国境を越えることができる。グローバリゼーションという言葉は二〇世紀から使われているが、二〇世紀と現代とではその意味が異なる。デジタル社会では、そもそも国境などないかのようにデータやサービスが行き来するのだ。

これは、世界のどこにいても高品質のＡＩサービスにアクセスできるという点で個人にとっても組織にとっても非常にメリットが大きい反面、リスクへの対処という観点からは新たな課題をもたらすものである。ＡＩについて何らかのルールを国レベルで決めたとしても、海外の事業者には執行できないので実効性がなかったり、世界中でばらばらなルールが適用されることによってコンプライアンスコストが跳ね上がったりするためだ。ＡＩリスクは、一国の判断だけで完全に対処できるような問題ではないのだ。

(7) 汎用モデルがもたらす未知の影響

以上のようなＡＩシステムの数々の難しい特徴は、画像認識、マッチング、採用・与信判断など目的特化型のＡＩについて指摘されてきたことだ。しかし、ＣｈａｔＧＰＴなどあらゆる目的に使うことができる「汎用モデル」の登場は、ガバナンスの難しさを異次元のレベルに押し上げた。会話、資料作成、教育、財務分析、リスク管理、プログラミングなど、あらゆる業界で様々な目的に使えるＡＩについては、使い方もリスクシナリオも際限がなく、かつそれが中長期的に経済や教育、創作活動、人間関係、環境などにどのようなプラスとマイナスの影響を及ぼすのか想像もつかない。二〇二三年一一月に英国で開催されたAI安全性サミットの共同宣言（ブレッチリー宣言）では、サイバーセキュリティやバイオテクノロジー、偽情報などの分野で、AIが破滅的（catastrophic）なリスクをもたらす可能性も指摘されている。「リスクがあることは分かっているがそれが特定できない」（known unknown）領域だけでなく、「そもそもどのようなリスクがあるかも分からない」（unknown unknown）という、最も厄介な領域がますます広がっていくのだ。

4．AIリスクのまとめ

本章では、AIがもたらすリスクの様々な性質や特徴について論じた。まず、誤判定、バイアス、虚偽、安全性、セキュリティなど、AIの性質に必然的に伴う技術上のリスクについて述べた。次に、プロファイリングや個人の行動の誘導、スコアリングといったプライバシー関連のリスク、偏った情報が提供されることによる民主主義へのリスク、そして不正目的での利用、経済や財産権への影響、環境負荷といった、ＡＩの社会実装が進むことに伴って生じるリスクを紹介した。そのうえで、こうしたＡＩによるリスクが、人間によるリスクとどのように異なるかという点を、予測・説明の難しさ、関与する主体の多さ、技術革新や普及の速さ、信頼の根拠の不明確さという点から説明した。さらに、新たな倫理的課題の登場や、グローバル化による課題、そして汎用ＡＩがもたらす未知のリスクについても触れた。

本章の最後に、こうしたＡＩリスクについて考える際の重要な視点をいくつか述べておきたい。

第一に、ＡＩリスクの状況は常にアップデートされるということだ。本章で紹介したのはあくまで既に問題として顕在化している一部のリスクだ。ＡＩが本格的に社会実装されてからまだ一〇年も経過しておらず、その間にも、従来想像もつかなかったような様々なリスクが登場してきた。変化の速いＡＩの世界においては、いつ新たなリスクが出てきてもおかしくない。

第二に、ＡＩガバナンスの目的は、「リスクをゼロにすること」ではないということだ。本章では様々なＡＩリスクを扱ってきたが、リスクをゼロにしたければ、単純にＡＩの使用をやめればよい。しかし、それでは、ＡＩによって実現できるはずの利便性や安全性、健康、経済成長の機会などが失われてしまうことになる。もっといえば、バイアスにせよ安全性にせよ、ＡＩの方が人間より良い結果を出せる場面も多い。重要なのは、ＡＩによるリスクを受容可能な水準に抑えつつ、ＡＩがもたらす便益を最大化することだ。

第三に、今後は、あらゆる組織や個人が、サービスの提供者やユーザーとして、このような厄介なＡＩリスクと向き合わなければならないことだ。一昔前までは、ごく一部のＡＩ開発者やＡＩサービス提供者だけがＡＩリスクを気にかけていればよいと思われていた。しかし、生成ＡＩの飛躍的な向上によりＡＩが身近になったことや、将来避けることができない労働力不足などを背景として、今後あらゆる場面でＡＩを用いることが一般的になるだろう。そのため、ＡＩを開発・提供する企業に限らず、あらゆる組織や企業がＡＩリスクを自分事と捉え、適切な対処を行っていく必要があるのだ。

第四に、ＡＩリスクに対処すべきなのは、決してエンジニアだけではないということだ。基本的な精度やバイアスの問題についてはエンジニアだけでも対応できるかもしれないが、技術的に一〇〇％の精度保証やバイアスの除去ができない中で、どのレベルの誤判定やバイアスを許容するかというのは、経営判断に他ならない。さらに、倫理的な問題への対処や、リスクを適切に評価し対応するための組織整備、消費者を含むユーザーのリテラシー向上なども、エンジニアリングの範疇をはるかに超える判断事項だ。

それでは、我々の組織や社会は、こうしたＡＩリスクにどのように向き合っていけばよいのだろうか。次章ではいよいよ、そのためのＡＩガバナンスの全体像をみていくことにしよう。

第2章

AIガバナンスとは何か

1. AIに規制は必要なのか

OpenAI社のサム・アルトマンCEOは、二〇二三年五月、米国議会上院で開催された公聴会の証言台に立っていた。

同じ年の一月、同社が開発したChatGPTは、史上最速の二か月という期間で一億名のユーザーを獲得した。三月には、最新モデルであるGPT-4がリリースされ、あまりにも人間に近いその振る舞いは、多くの人の驚きを呼んだ。メディアは一斉に、このマシンが我々の未来をどう変えるかについて論じた。だが一方で、この高性能AIがもたらすリスクについても様々な議論が巻き起こった。GPT-4モデルのリリースと同じ三月には、イタリアのデータ保護当局が、ChatGPTの国内での使用を一時停止する命令を下した。個人データの処理が不適法である疑いがあることなどを理由としたものであった（なお、この命令は四月に解除された）。同じ三月には、アップルの共同創業者であるスティーヴ・ウォズニアック氏、テスラやスペースXの創業者でツイッターのCEO（当時）でもあるイーロン・マスク氏、『サピエンス全史』や『ホモ・デウス』などの著者である歴史学者ユヴァル

・ノア・ハラリ氏、「深層学習の父」と呼ばれるＡＩ研究者のヨシュア・ベンジオ氏を含む世界中の技術者や研究者が、生命未来研究所（Future of Life Institute）のウェブサイト上で、全てのＡＩ研究機関が少なくとも六か月間、ＧＰＴ‐４より強力なＡＩの開発を中止するよう求める声明を出した（もっともイーロン・マスク氏は、その四か月後にはｘＡＩという生成ＡＩの企業を立ち上げたのだが）。

そのような逆境の中、公聴会の場に立ったアルトマンＣＥＯが発した言葉は、多くの人にとって意外に映った。彼は、「ＡＩには規制が必要不可欠だ」と述べたのだ。さらに、「OpenAI社は、ＡＩ規制に関する政策担当者への協力を惜しまない」とも言った。こうした態度は、「あらかじめ許可を得るより、後で許しを請う方が簡単だ」というインターネット界の格言や、かつてフェイスブック（現メタ）のマーク・ザッカーバーグＣＥＯが放った「素早く動き、破壊せよ！」というスローガンなどと比べると、とても協力的だと報じられた。

しかし、第１章をお読みいただいた読者であれば、「ＡＩに規制が必要だ」という主張は非常に抽象的で、実質的には何も言っていないに等しいことがお分かりいただけるだろう。ＡＩリスクの種類は非常に多岐にわたるし、またそれらの多くは、人間がやった場合でも生じるリスクである。本当に重要なのは、具体的にどのようなリスクを、どのような方法で規制するのかということだ。たとえば、人間の場合、自動車の運転や医療行為は規制対象となっており、これらを行うためには免許（運転免許や医師免許）が必要とされている。ＡＩがこれらの行為を代替するのであれば、それに対しては何らかの形で規制がなされるべきだろう。他方で、人間が嘘をつくことは、原則として規制対象とされていない。もちろん、嘘をついて他人からお金をだまし取れば詐欺罪になるし、広告で嘘の表示をすれば景品表示法違反となる。契約書の中で「真実である」と保証したことが嘘だったと分かれば、損害賠償責任が発生する場合もあるだろう。しかし、これらは他人へのリスクがとりわけ高い例外的な嘘であって、たとえば、「鎌倉幕府が成立したのは一八五三年である」といった虚偽を述べることが、直ちに罰則や損害賠償の対象になるわけではない。同じような嘘をＡＩがつく場合にも、規制が必要だろうか。

このように、あるリスクに対して法規制が必要かどうかは、そのリスクの種類や程度、発生頻度などによる。そして、法規制以外の方法——社会一般のモラルや、市場で評価を獲得するために企業が行う自主規制など——で十分にリスクを回避できるのであれば、多くの税金を投入して規制を行う必要はない。規制は万能なツールではなく、イノベーションを阻害したり新たな技術に追いつけなかったりと、様々な問題を抱えているのだ。

本書がテーマとしているＡＩガバナンスとは、まさにこのような社会全体の制度設計を考えることだ。

2．ガバナンスとは何か

ここで、「ガバナンス」という言葉について説明しよう。昨今、ガバナンスという言葉を新聞やニュースが扱わない日はない。政府の不祥事が起きた際にはガバナンスの強化が叫ばれ、企業経営にあたってはガバナンスが最重要課題の一つとされ、ＡＩなどの新たなテクノロジーを導入する際にもガバナンスの必要性が指摘される。

しかし、「ガバナンス」とは何かと問われたら、明確に答えられる人は少ないだろう。一般的な訳語である「統治」から連想されるのは、政府（ガバメント）による国の統率や、その政府を国民がコントロールするための民主主義システムかもしれない。一方、「コーポレートガバナンス」とは、経営者による会社の統率や、株主による経営者のコントロール、そして顧客や社会などに対するアカウンタビリティなどを意味する。ＩＴガバナンスやデータガバナンスという言葉は、特定のシステムに関する権限管理や制御を意味することが一般的だ。

「ガバナンス」の語源は、船の「舵取り」を意味する古代ギリシャ語の〝Kubernaein〟だといわれる。紀元前四〇〇年前後に古代ギリシャで活躍した哲学者プラトンが、様々な人で構成される国家（といっても、人口二〇〜三〇万程の都市国家であり、当時市民として認められたのは成人男性のみだった）の運営を、多くの乗組員がいる船の運航に喩えたものだ。とても興味深いので、該当箇所を引用してみよう。

> ある船に、他のどの船員よりも背が高く、力も強いが、耳や目が不自由で、航海術の知識もあまりない船長がいる。他の船員たちは、操舵について互いに言い争っている。彼らは船長の周りに群がり、舵を自分たちに委ねるよう要求する。彼らは、自分たちよりも他の船員の言うことが優先される場合、その者を殺すか、海に投げ捨てる。また、酒や麻薬で船長の感覚を麻痺させた後、反乱を起こして船を手に入れ、貯蔵品を自分たちのものにする。こうして飲み食いしながら、船員たちは思いのままに航海を続けるのだ。
>
> （プラトン『国家』第6巻、488a-489d）

なんとも恐ろしい話だが、実は、この部分はプラトンが多数決による直接民主政を批判する文脈で用いたものだ。直接民主政の下では、十分な知識をもたない民衆が、国家の主導権を巡って私利私欲に走って争いを起こし、考えの違う者を排斥してしまうということを喩えたのである。現実にも、プラトンの師であるソクラテスは、民衆の投票によって処刑されてしまった。そのため、プラトンが理想としたのは、大衆による民主政ではなく、哲学を学んだ王による哲人政治であった。

このように、「ガバナンス」の語源は紀元前に遡るのだが、実はこの言葉が一般的に使われるようになったのは比較的最近の一九八〇年代頃である。その背景には、それまで統治のプロセスを一手に担ってきた政府（ガバメント）の機能が、徐々に市場やネットワークに拡散していったという事情がある。地球温暖化、テロリズム、感染症など、現代の我々が直面する課題は、国家だけでなく、企業、市民団体、国際団体など、様々な主体が複雑に絡み合って相互に影響し合っている。その複雑さは、各国が自国の領土や国民に対してルールや資源配分を一方的に決めることで解決できるようなものではない。そのため、政府（ガバメント）という統治主体ではなく、ガバナンスというプロセスそのものに注目が集まっていったのだ。

ガバナンスの定義は様々であるが、一般的には、組織や社会の中で意思決定を行い、執行するプロセスを意味する。そこには、国家・企業・システムといった複数の階層がある。

国家におけるガバナンスとは、国家が人間や集団に対してどのような権限を有するのか、

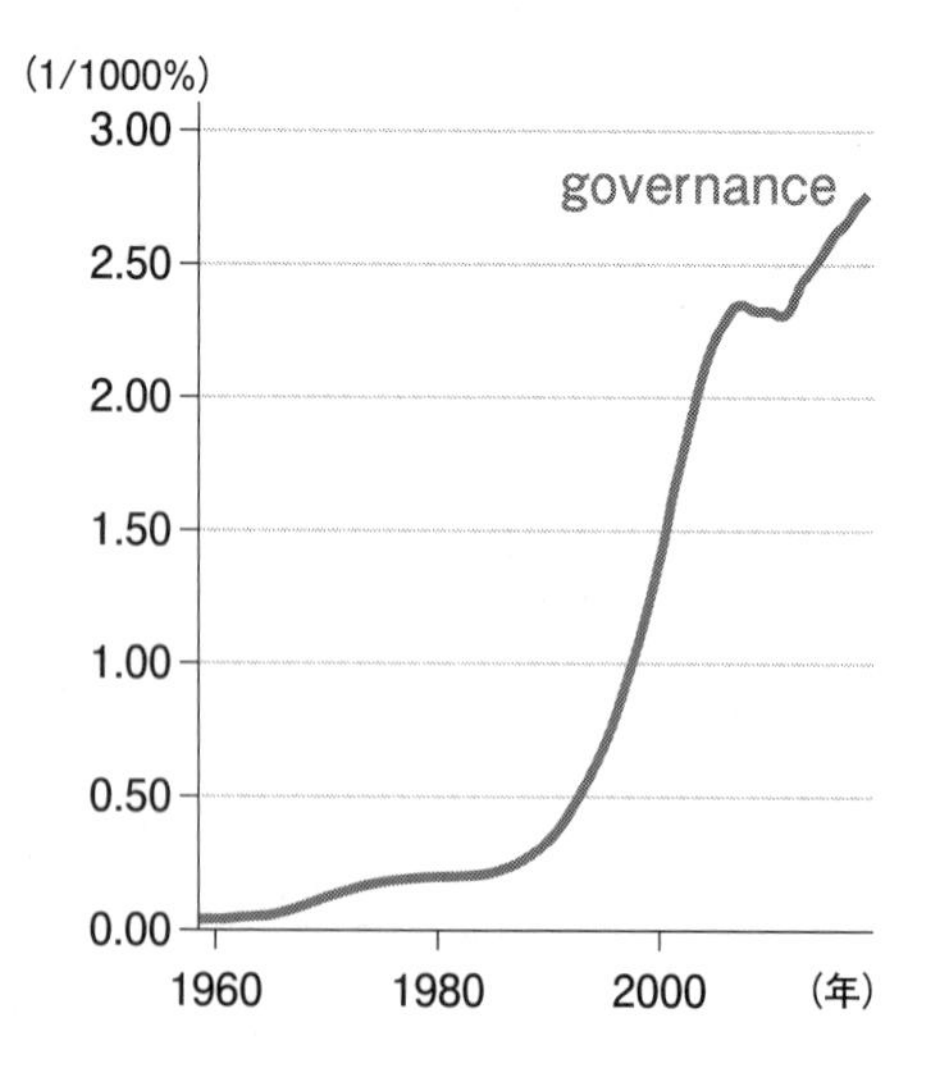

図6：全世界の書籍における「ガバナンス」の使用頻度の変化
(Google Ngram Viewer より筆者作成)

またその権限に関するルールを誰がどのように決め（立法）、執行し（行政）、その適切性を審査するのか（司法）といったことを扱う。日本の場合、日本国憲法においてその基礎が記述され、その下に多くの法令や複雑な行政機関や司法機関が組織されている。

企業におけるガバナンスは、コーポレートガバナンスと呼ばれる。株式会社という形態は、株主総会での議決権や配当・残余財産請求権などを有する株主が、企業の経営を取締役に委ねるものである（昨今では、経営を監督する取締役と、業務を執行する執行役の分離も進んでいる）。そうした組織において、いかに経営者が株主共同の利益のために行動するかを規律し監督する仕組みがコーポレートガバナンスだ。昨今では、企業が株主のために短期的な利益を最適化するのではなく、すべてのステークホルダーや社会全体のニーズを考慮することによって、長期的な価値創造を追求すべきという考え方が広く支持されている。日本の上場企業に適用される「コーポレートガバナンスコード」も、株主だけでなく、従業員、顧客、取引先、債権者、地域社会などの幅広いステークホルダーの権利や立場の尊重を求めている。

ガバナンスという言葉は、ＩＴガバナンスやデータガバナンスなど、特定のシステムについて用いられることもある。たとえば、データガバナンスとは、データ資産の管理に関する権限行使と統制のことをいう。これらは特定のシステムや資産に関する権限管理や制御を取り扱うもので、意味としてはリスクマネジメントに近い。「ＡＩガバナンス」という言葉も、一般的にはこの意味で使われることが多いといえるだろう。
このように、ガバナンスには様々なレベルがあるが、これらは相互に結びついている。たとえば、企業という法人が存在するのは、国家のガバナンスの下でそれが認められているからであるし、その企業のガバナンス（コーポレートガバナンス）の下で、ＩＴシステムやデータが統制されている。

3. 本書でのAIガバナンスの定義

それでは、本書のタイトルでもある「ＡＩガバナンス」とは何を意味するのか。国内外で統一された定義は存在しないが、本書では、これを以下のように定義しよう。

ＡＩによるリスクをステークホルダーの受容可能な水準に維持しつつ、ＡＩがもたらす価値を最大化することを目的として（①）、社会の様々な階層においてステークホルダーが行う（②）、規範的、技術的および組織的システムの設計および運用（③）

この定義は、以下の要素に分解できる。

まず、①の部分は、AIガバナンスの目的について述べている。第1章では、AIがもたらす様々なリスクを紹介したが、AIガバナンスの目的は、こうしたリスクをゼロにすることではない。本当に目指すべきなのは、AIによるリスクを適切に把握し、それを受容可能な水準に抑えつつ、AIが社会にもたらす価値を最大化することなのだ。それでは、価値とは何を意味するのだろうか？ これについては、第3章で検討したい。

②の部分は、AIガバナンスの階層およびプレイヤーについて述べている。先ほど、ガバナンスには国レベル、企業レベル、システムレベルなど様々な階層があることを説明したが、AIガバナンスとは、これらを全て含む概念だ。第1章でみたように、AIは従来型のシステムにない様々な特徴をもっており、かつ社会に与えるインパクトが非常に大きいため、単にシステムレベルだけでなく、企業レベル、そして国家レベルでガバナンスを考える必要がある。そして、それぞれの段階において、多様なバックグラウンドをもったステークホルダーが検討に参加することが重要だ。

③の部分は、ガバナンスの方法について述べている。①で述べた目的を達成するためには、法律などの規範的なルールを作って守ることも一つのやり方であるが、特定の結果を出力で

きないように技術的な対応を行ったり、そうしたルールや技術を運用し評価するための組織体制を整備したりすることも重要だ。ガバナンスとは、このような規範的、技術的および組織的な方法を組み合わせて行う分野横断的な取組みなのだ。

以上が本書のＡＩガバナンスの定義であるが、これはあくまでも概念の外形を説明した「箱」に過ぎない。ＡＩによって実現すべき価値とは何なのだろうか。ステークホルダーとしてはどのような主体がいるのだろうか。規範的、技術的、組織的な手法にはどのようなものがあるのだろうか。

4．ＡＩガバナンスの全体像

二〇一〇年代の中頃からディープラーニングを用いたＡＩの実装が飛躍的に進むと、それに伴って世界中でＡＩガバナンスに関する議論が大きな盛り上がりをみせた。その中には、プライバシーや公平性に関する話や、自動運転や医療の場面における法規制の話、生成ＡＩと著作権に関する話、そしてＡＩ全般に対する規制の話など、様々なものが含まれている。

これらの範囲は膨大で、それぞれを細かく追っていってもきりがないし、その動きも速いため、仮に追いついたとしても、すぐに状況は変わってしまう。そこで重要なのは、ＡＩガバナンスの全体像を正しく理解することだ。以下では、ＡＩガバナンスの枠組みを、図7のように整理する。

「ＡＩガバナンスの目的」とは、基本的人権・民主主義・経済成長・サステナビリティなど、最終的にＡＩガバナンスによって達成すべき基本的な価値だ。これらはＡＩの利用の有無にかかわらず重要な価値だが、ＡＩの文脈においてこれを実現するためには、プライバシーや公平性、透明性など、とくに配慮すべき要素がある。これが「ＡＩ原則」と呼ばれるものだ。

これらの価値や原則は、一次的にはＡＩシステムの開発者やＡＩサービスの提供者による「ＡＩシステムのガバナンス」を通じて達成される。第4章では、その具体的なプロセスについて述べる。そのうえで、適切なＡＩシステムのガバナンスを促すために法律で何を求めるのか、問題が生じた際の責任をどう分配するかといった、社会制度についても考えなければならない。これが「ＡＩ社会のガバナンス」であり、第5章と第6章で扱う。

次章ではまず上の二つ、すなわち基本的価値とＡＩ原則について検討しよう。

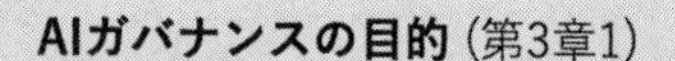

・基本的人権　・民主主義
・経済成長　　・サステナビリティ

AI原則（第3章2）

安全性	セキュリティ	プライバシー	公平性	透明性・説明可能性	アカウンタビリティ
有効性					

▼

AIシステムのガバナンス（第4章）

「二重のループ」と「信頼のリレー」

AI開発者　AI提供者　AI利用者

AI社会のガバナンス（現在：第5章，未来：第6章）

法規制	標準/ガイダンス	権利	責任・制裁	救済	国際相互運用
アジャイル・マルチステークホルダー・分散的なプロセス					

図7：AI ガバナンスの全体像

第3章

ＡＩガバナンスの目的とＡＩ原則

1．基本的価値

ＡＩガバナンスについてまず考えるべきなのは、「そもそも何のためにガバナンスを行うのか」ということだ。本書の定義では、「ＡＩによるリスクをステークホルダーの受容可能な水準に維持しつつ、ＡＩがもたらす価値を最大化すること」を目的としている。リスクについては第1章で述べたが、それでは価値とは何を意味するのだろうか。

実は、ガバナンスによって達成すべき究極的な価値は、ＡＩという特定の技術を使うかどうかに左右されるものではない。まずは達成すべき価値があって、ＡＩはそれらを達成する手段であるか、またはそれらに対するリスク要因に過ぎないからだ。そこで以下では、我々の社会において達成すべき基本的な価値について紹介する。

（1）基本的人権

日本国憲法は、思想・良心の自由、信教の自由、表現の自由、職業選択の自由、学問の自由、適正手続など、様々な基本的人権を保障している。これらはＡＩの使用にあたっても当然尊重されるべき基本的な価値だ。また、憲法に明記されていなくても、プライバシー権などは、幸福を追求する権利を保証した憲法第一三条の下で保障されると考えられている（ただし、プライバシーについてはＡＩ原則として語られることが多いので、そちらの項目でまとめて扱うことにしよう）。

基本的人権の一種として、「人間の尊厳」（Human dignity）という言葉もよく使われる。日本政府が二〇一九年に策定した「人間中心のＡＩ社会原則」では、基本理念の一つめとして人間の尊厳の尊重が示されているし、ＥＵの「信頼できるＡＩのための倫理ガイドライン」でも、人間の尊厳が基本的権利の筆頭として挙げられている。人間の尊厳とは、広い意味をもつ概念だ。人間の理性的で自律的な決定に影響を与えるような情報の選別（フィルターバブルなど）のことを人間の尊厳に対するリスクという場合もあるし、ＡＩによるスコアリングやプロファイリングが、人間の決定を介さない点で、人間の尊厳を奪うといわれることもある。ＡＩが既存の差別や偏見を再生産したり、社会の価値観が均一化されて社会的弱者が排除されてしまったりすることが人間の尊厳へのリスクだという場合もある。

人権の保護は、日本だけでなく世界の多くの国で共通の根本的価値となっている。全ての人間が生まれながらにして有する尊厳と権利について記した国際人権章典は、世界一七〇か国以上が受け入れている。

このような基本的人権は、歴史的には、国家に対する人民の権利として生まれたものだ。しかし、企業の社会的影響力の拡大などを受け、現在では民間人の間にも適用されると考えられている。昨今では、企業の社会的責任を重視する動きから、「ビジネスと人権」が重要なキーワードになっている。二〇一一年には、国連人権理事会において「ビジネスと人権に関する指導原則」（ＵＮＧＰ）が採択され、「国家の義務」「企業の責任」「救済手段」の三つを柱とする枠組みが示された。人権の尊重は、ＥＳＧ（環境・社会・ガバナンス）投資を行う投資家や、政府調達、銀行の融資においても考慮される要素となっており、企業が優先して取り組むべき事項の一つとなっている。

「人権」というと非常に漠然としており、どこから手をつけてよいのかが分からないかもしれないが、重要な人権の保護については、既に法律が制定されている場合が多い。たとえば、労働基準法や男女雇用機会均等法などの労働規制、プライバシーに関する個人情報保護法、通信の秘密に関する電気通信事業法などがその例だ。そのため、まずはこうした法令を遵守することが必要だ。ただ、ＡＩシステムはこれまでにない人権リスクを矢継ぎ早にもたらすため、常に「人権」という根本に立ち返った検討が必要になるだろう。

ＡＩが人権にもたらす種々のリスクについては第1章で取り上げたが、逆にＡＩを適切に用いることで人権を拡大・強化できる場面は多い。たとえば、ソーシャルメディア上のヘイトスピーチや誹謗中傷などの検出にはＡＩが使われており、これによって人間では処理できない量とスピードのコンテンツ管理を行っている。生成ＡＩが行政提出文書の作成を助けてくれれば、これまで書類を作成できなかった人たちにも十分な公的援助が行き渡るようになるだろう。与信判断ＡＩは、従来の人間がもっていたバイアスを乗り越え、これまで十分に融資を受けることができなかった若者やパートタイム労働者などに対する適切な融資を可能にするかもしれない。防犯カメラの映像をＡＩで解析することは、プライバシー侵害の問題としても取り上げられるが、地域の安全確保や、治安課題の早期発見を通じて、コミュニティのメンバーの人権保護につながるという側面もある。

(2) 民主主義

民主主義も、日本を含む多くの国における基本的な価値だ。国民が権力の支配から自由であるためには、国民自らが統治に参加するという民主主義が不可欠である。日本でも、少なくとも戦後八〇年近くの間、この前提は疑いなく社会に受け入れられてきた。

しかし昨今では、民主主義の危機が叫ばれている。政治学者の宇野重規教授は、ポピュリズムの台頭、独裁的指導者の増加、コロナ禍に加えて、ＡＩなどの技術革新を危機の要素として挙げている。たとえば第１章で述べた、ＡＩがユーザーに偏ったコンテンツのみを表示する「フィルターバブル」の現象は、様々な意見に基づく討論を経た政策決定を基本とする民主主義を脅かすものだ。また、AIを巡る技術進化やリスクの進展は極めて速いため、合意形成に時間がかかる民主主義では追いつけないという指摘もある。さらに、ユヴァル・ノア・ハラリは、著書『ホモ・デウス』の中で、AIの知能が人間を上回ることで、データとアルゴリズムを保有する一部の有力者によるデジタル専制主義が拡大し、その他の多くの人は無用階級へ転落するとの警鐘を鳴らしている。

もっとも、AIは民主主義にリスクをもたらすだけではなく、民主主義に恩恵をもたらすこともあるだろう。フェイクニュースを検出するAIは、民主主義へのリスクを低減するのに役立つ。また、AIは、多くの意見の中から重要なポイントを抜き出したり、議論を構造化したりする作業を効率化できるため、これまで小規模の団体でしか実現できないと考えられていた直接民主主義を、より大きな範囲で実現するチャンスをもたらすだろう。実際、台湾の合意形成プラットフォームである〝vTaiwan〟では、シェアライドの許可などの特定の政策アジェンダに対する人々の意見をアルゴリズムでグループ分けして、世論の可視化や論点の抽出に活用している。同様の取組みは、フランスやニュージーランドでも採用された。

この先、AIが市民による討論をファシリテートすることなども十分可能になるだろう。民主主義という価値が現代社会のスピードに追い付けるようにするためには、AIを活用す

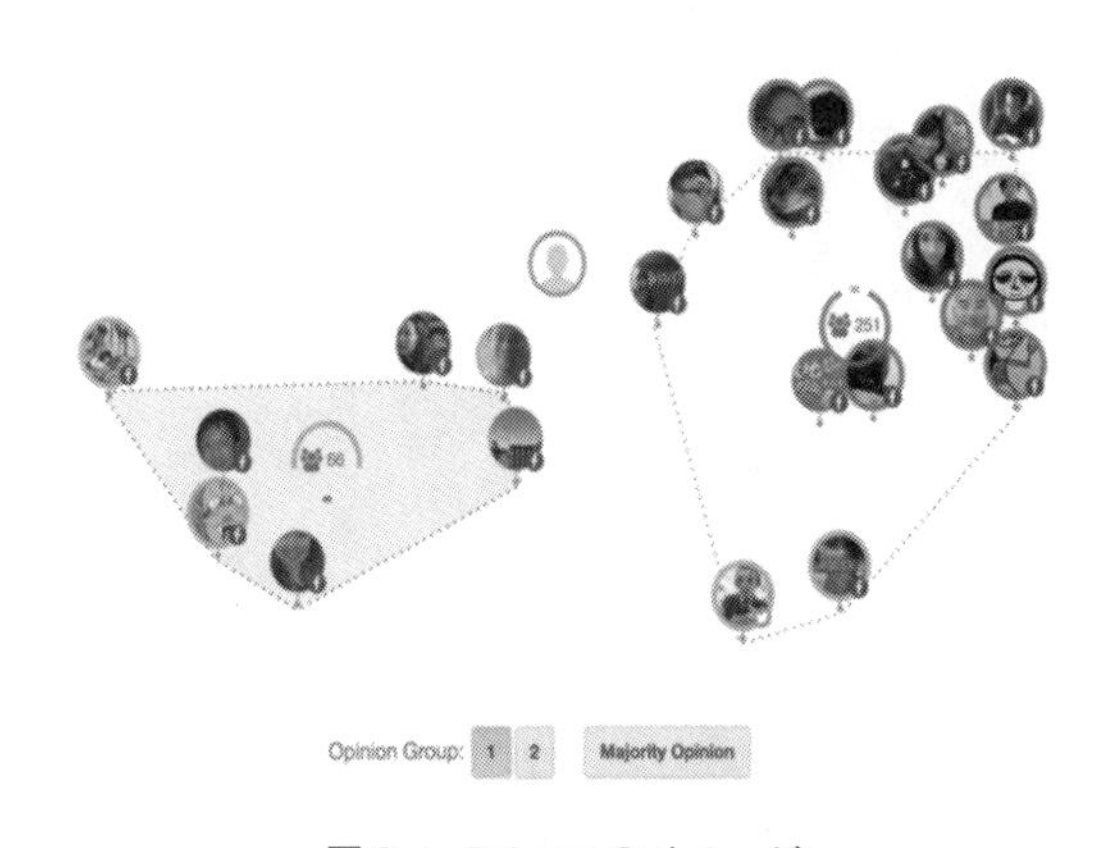

図８：vTaiwan のイメージ

出典　https://congress.crowd.law/files/vtaiwan-case-study.pdf

ることがますます重要になっていくのだ。

（３）経済成長

我々が自由で幸福な人生を生きるには、経済的な豊かさも必要だ。日本の経済成長は、過去三〇年以上にわたって停滞してしまった。日本経済の失速の特徴は、中間層のみならず、高所得者層も含めた経済全体が地盤沈下してしまっている点だ。今後高齢化がますます進むことを考えると、ＡＩによって生産性を劇的に向上させることが喫緊の課題といえる。そのためにはまず、人々が新たなテクノロジーで富を生み出すことができるような教育機会の確保が重要だ。現代は、一年前の技術さえ陳腐化してしまう時代である。学生だけでなく、一人ひとりが生涯学びつづけることができるような環境と機会の確保が重要だ。それに加えて、研究開発への支援だけでなく、様々な企業がＡＩの恩恵を受けられるようなデータ基盤の充実、スーパーコンピューターなどの計算資源へのアクセス確保など、多様な産業政策が必要になるだろう。ＡＩが労働力を置き換える点がリスクとして指摘されているが、これを解決するためには、ＡＩの活用を制限するのではなく、人間の能力をパターン化処理できない創造的な仕事に活かせるような教育や環境の整備を進めるべきだろう。

経済成長には、公正な競争環境も欠かせない。より良い製品やサービスを作ればより多くのリターンを得られるという公正な競争環境があるからこそ、企業が品質や生産性を向上させようと努力するからだ。そして、ＡＩによる需要者と供給者のマッチングやオンラインオークション、価格情報の比較などは、競争の促進に大きく貢献してきた。他方で、ＡＩが公正競争にもたらす問題もある。それは、①ＡＩ自体が競争を歪めるツールとして利用されるという問題と、②強力なＡＩをもつ一部の事業者に支配的な力が集中してしまい、そこから競争の歪みが生じるという問題だ。①の例として、かつてグーグル検索では、同社のサービスであるグーグルショッピングのサイトを、競合他社のショッピングサイトよりも上位の目立つ位置に表示していた。ＥＵ当局は、これがグーグルによる支配的地位の濫用だとして、当時のレートで三〇〇〇億円以上の制裁金を科した。②については、良いＡＩサービスを提供する事業者にはより多くのユーザーが集まり、より多くのデータを入手できることでさらに良いサービスができるという循環が生まれるため、支配力の集中が進みやすいという事情がある。もちろん、より良いサービスが生まれること自体は素晴らしいことなのだが、特定の事業者に力が集中することで、その取引相手（たとえば、デジタルプラットフォーム上に出品する小売店やアプリ開発者など）に対して一方的な条件を突きつけることができるようになってしまう。たとえば、アップルやグーグルのアプリストアでは、かつてアプリの開発者から売上の三〇％の手数料を取っていた。iPhone ユーザーがゲームアプリ内で一〇〇円のアイテムを購入したら、三〇円はアップルに回収されるということだ。この手数料がアプリ開発事業者にとって大きな負担となっていることが問題となった。アプリ開発事業者としては、手数料が高すぎると思っても、他に販売するルートがないため、交渉の余地はなかった。この点が世界各国の競争当局から問題視され、現在は、プラットフォーム側が、中小事業者向けの手数料を引き下げたり、アプリストア以外の販売ルートを用意したりする対応を取っている。

また、経済成長のためには、市場で活発な取引が行われる必要がある。そのためには、市場参加者がもつ権利や責任の内容が明確となっており、かつ適切に保護されることが重要だ。しかし、ＡＩが生み出す価値の源泉となるデータや、アルゴリズムが出力するデータについて、誰がどのような権利と責任をもつのかは、法律で決まっているわけではない。現在の民法は、形のある物を念頭に作られているためだ。新しい財産権をどう設計するかも、我々の社会が直面する重要な課題だ。

（4）サステナビリティ

近年では、自由や民主主義といった価値に加えて、サステナビリティ（持続可能性）の重要性に注目が集まっている。地球温暖化をはじめとする気候変動や、生物多様性の喪失、資源の枯渇、拡大する経済格差など、我々は、社会を継続できるかどうかの根本にかかわる問題に直面している。こうした脅威の中の多くは、人類の活動の影響を受けて発生し、または拡大しているものだ。人類が地球の生態系や気候に大きな影響を及ぼすようになった新たな地質年代として、「人新世」（Anthropocene）という概念も提唱されている。我々の生活を持続できるかどうかは、人権や民主主義、経済といった全ての基本的価値の前提となるものだ。国連は二〇一五年に、「持続可能な開発目標」（ＳＤＧｓ：Sustainable Development Goals）として一七項目のゴールを示しており、これらの達成に向けた政策や企業の取組みが進められている。

ＡＩも、もちろんサステナビリティと無縁ではない。既に述べたように、ＣｈａｔＧＰＴ

のような大規模自然言語モデルは、電力の使用によって膨大な二酸化炭素を排出しており、今後は、環境低負荷なモデルの開発が重要な時代になるだろう。他方で、ＡＩがサステナビリティに貢献できる余地は大きい。たとえば、グーグル傘下のディープマインド社は、ＡＩを使って将来のデータセンターの稼働状況を予想することで、その冷却効率を改善し、冷却コストを四〇％削減することに成功した。同様の技術は、発電所の変換効率の改善や、製造業におけるエネルギー使用量の削減などにも応用することができる。また、エネルギー以外の分野においても、たとえば農業分野において、ＡＩを用いて早期に作物の病気を発見できるシステムなどが世界各地の農場で実装されている。

（5）なぜ基本的価値の理解が重要なのか

基本的人権、民主主義、経済成長、サステナビリティといった、ＡＩガバナンスにおいて中核となる基本的価値を守るために、社会には多くの法律がある（それらについては、第5章で紹介する）。それでは、なぜそれらに従うだけでは不十分なのだろうか。

第一に、今あるほとんどの法律は、ＡＩの実装が進む前に制定されたものだ。そのため、ＡＩとの関係でどのように適用されるかが明確でない場面も多い。たとえば、男女雇用機会均等法は、「事業主は、労働者の募集及び採用について、その性別にかかわりなく均等な機会を与えなければならない」としているが、ＡＩを採用の判断に用いる際、どのようなときに違法な性差別が生じてしまうかは明らかでない。第1章で述べたように、たとえ性別データを入力しなかったとしても、履歴書に使われている単語などによってＡＩが性別を考慮してしまい、過去の差別的な評価を再生産してしまう場合もある。そのため、採用にＡＩを使う組織としては、こうしたリスクに十分に配慮していること、もっといえば、ＡＩを使うことによって人間の判断よりも偏見のない判断ができることを自分の言葉で説明できる必要がある。そうした検討の際に出発点となるのは、法律の文言の背後にある、基本的価値の理解だ。

第二に、ＡＩの実装においては、法律の枠にとらわれない市場や社会からの評価も重要だ。ビジネスにおける人権やサステナビリティの観点は、世界中の投資家が重視する観点であるし、また、法令上問題がなかったにもかかわらずソーシャルメディアなどで「炎上」して止まってしまったＡＩプロジェクトも多い。「法律に違反していないから問題はない」という回答では、ステークホルダーからの理解を得られないのだ。そのため、ＡＩを開発したり提供したりする企業は、自らの行為が基本的価値に根差したものであり、社会に対してリスクより大きい利益をもたらしていることを説明できるようにしておく必要がある。

このように、人権や民主主義、経済成長やサステナビリティなどに関する理解が必要だからといって、難しく考えすぎる必要はない。これらの価値が究極的に実現しようとしているのは、人々の幸福だ。幸福（近年は、ウェルビーイングという言葉もよく使われる）とは、一義的に定義できるものではなく、一人ひとりの置かれた状況ごとに、またその価値観によって異なるものだ。そしてそれらを一番よく理解できるのは、専門家ではなく、本人やその周囲の人たちなのだ。ＡＩガバナンスの文脈においても、既存のマニュアルに縛られず、ステークホルダーにとってのリスクを考えると共に、ＡＩシステムで実現できる幸福とは何かを真摯に考える各プレイヤーの姿勢こそが、ＡＩガバナンスの原動力となる。

2．ＡＩ原則

以上に述べたような基本的な価値は、ＡＩという文脈を離れても重要なものであるが、ＡＩを通じてこれらの価値を実現する際には、特に配慮すべき事項がある。「ＡＩ原則」と呼ばれるものだ。ＡＩ原則は、ＡＩの実装が急速に進展した二〇一六年頃を起点に、様々な国や国際機関、民間団体、企業などによって続々公表された。それらの総数は、主なものだけでも六〇〇以上にのぼるといわれる。有名なものを時系列順に並べると、生命未来研究所（第1章で紹介した、半年間AI開発をストップするように呼び掛けた団体だ）による『アシロマAI原則』、日本の『人間中心のAI社会原則』など各国のAI原則、EUの『信頼できるAIのための倫理ガイドライン』、OECD『人工知能に関する理事会勧告』（通称AI原則）、G20の『AI原則』、ユネスコの『AI倫理に関する勧告』などが挙げられる。ハーバード大学が、二〇一九年までに世界で公表された四〇近くのAI原則を精査した研究によれば、世界各地のAI原則の内容は、以下のカテゴリーに分類できるという。

・プライバシー
・安全性とセキュリティ
・透明性と説明可能性
・公平性と無差別
・アカウンタビリティ
・人間による技術のコントロール
・専門家責任
・人間的価値の促進

ＡＩを活用するにあたって、これらの原則がなぜ重要になるのかは、第1章をお読みいただいた読者であれば察しはつくはずだ。ただし、このままだと数が多いので整理しよう。まず、冒頭のプライバシー、安全性、セキュリティ、透明性、説明可能性、公平性という項目は、第1章でみたように、ＡＩの性質上とりわけ問題となりやすいリスクに関係するものだ。その次の「アカウンタビリティ」とは、説明責任とも訳されるが、ＡＩの提供者がそのＡＩについて適切に説明し、質問に答え、その結果について責任を負う状態をいう。「人間による技術のコントロール」は、主に安全性や公平性を確保するための手段だといえるだろう。「専門家責任」とは、様々な原則を十分な水準の責任をもって履行することで、アカウンタビリティの一種だと整理できる。最後の「人間的価値の促進」は、まさに本章1（1）で述べた基本的人権の尊重であり、ＡＩ原則というよりは、基本的価値にあたるものだ。

このように整理すると、ＡＩ原則として特に重要なのは、プライバシー、安全性・セキュリティ、透明性・説明可能性、公平性、アカウンタビリティだといえる。さらに前提として、そもそもそのＡＩシステムが、意図された目的を達成できるだけの性能を有していることも重要だ（有効性）。米国の国立標準技術研究所（ＮＩＳＴ）が発行しているＡＩリスクマネジメントフレームワークでも、これと同様の項目が挙げられており、その関係は、図9のよ

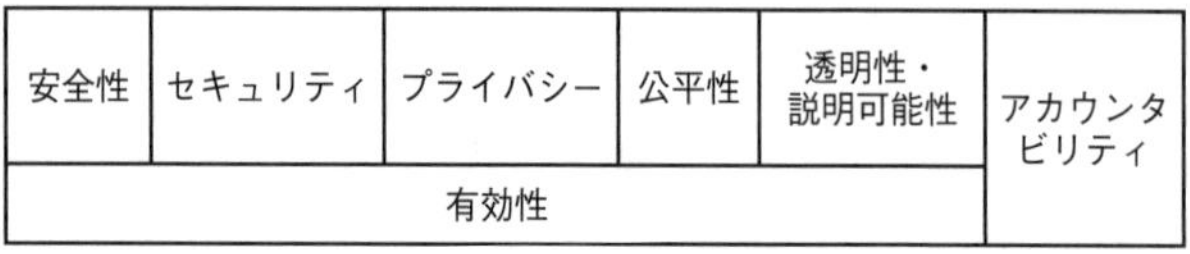

安全性	セキュリティ	プライバシー	公平性	透明性・ 説明可能性	アカウンタビリティ
有効性					

図９：AI 原則の関係図

出典　NIST “AI Risk Management Framework” の Fig.4 をもとに、筆者が一部変更

うに整理される。

この図は、次のことを意味している。まず、ＡＩシステムは、それが果たすべき一定の目的（顔の識別、文章の生成、車の運転など）を達成することが前提なので、「有効性」が土台にある。そのうえで、「安全性」、「セキュリティ」、「プライバシー」、「公平性」といった、ＡＩに関する技術的および社会的なリスク（これらの具体例は、第１章で紹介した）への対応が求められる。しかし、単に内部でこれらに対応するだけでは十分ではない。なぜなら、ＡＩシステムを信頼できるかどうかを外部から判断することが難しいため、ＡＩシステムの提供者自身が、そのシステムが有効であることや、安全性やプライバシーへの対応を行っていることを開示し、説明する必要があるからだ。そこで、「透明性・説明可能性」が必要となる。そして、これらの全てが適切に履行され、かつそこから生じる結果についてＡＩシステムの提供者が責任を負うような状態を、「アカウンタビリティ」という。

このような全体像を踏まえ、各項目の内容をみていこう。

(1) 有効性

AIシステムが有効(Valid)であるとは、意図された特定の使用または適用に対する要求が満たされていることを、客観的証拠を通じて確認できることをいう。たとえば、誤判定や虚偽が一定水準以下に抑えられることがこれにあたる。AIシステムが意図された目的を達成できないという事態は、それだけでリスクである。要求される性能は、想定される様々な状況下で維持され(ロバスト性)、かつ、想定の期間内において動作する必要がある(信頼性)。AIシステムは、挙動の予測が困難であり、またアルゴリズムの内容も学習の度に変化するため、システムの提供者は、ユーザーへの提供を開始した後もシステムが要求どおりに動作していることを確認するためのストレステストやモニタリングを継続的に行う必要がある。

(2) 安全性

AIは、定義された条件下で、人間の生命、健康、財産、または環境に対して可能な限り危害を与えないことが求められる。この原則は、とりわけ自動運転車や医療AIなど、人間の生命や身体に大きなリスクが及び得る分野で重要だ。事前に様々なリスクシナリオを検討し、厳密なストレステストやリアルタイムモニタリングを通して適切な対応を講じておくことが求められる。もっとも、トロッコ問題のように、何をもって安全というのかは一概に決められないこともある。

安全性を確保するための一つの方法として、人間による監視がある。自動運転車の実証実験においては、いざというときに人間が操作を引き継ぐようにしておくことで安全性を確保している。また、画像診断をするAIも、最終的な判断は免許を有する医師が行うことで、予期せぬ誤診を防ぐことができる。ただし、人間による介入は万能ではない。なぜなら、人間がAIの挙動を全てモニタリングできるわけではないし、また、人間の方が機械よりも正確な判断を行える保証はないからだ。人間による介入は、あくまでも最悪の事態を避けるための手段のひとつとして位置づけられるべきだろう。

(3) セキュリティ

セキュリティとは、外部からの攻撃や環境の変化を回避・防御することや、これらを受けたとしてもシステムの機能や構造を維持できることをいう。安全性(セーフティ)とセキュリティはよく混同されるが、安全性がシステムの内部の機能に関するものであるのに対し、セキュリティは外部からの攻撃などに対する防御の問題と整理するのが一般的だ。

ＡＩに関するセキュリティの問題としては、第1章で紹介したように、プロンプトインジェクション、データポイズニング、学習元データの窃取や学習済みモデルの窃取など、様々なものがある。ＡＩに対する攻撃には未知のものも多いため、日ごろから情報収集を行うと共に、モデルに対して様々なストレステストを行いセキュリティを維持することが重要だ。最近では、ＡＩシステムに対する攻撃側の視点を取り入れることで、実際の脅威を模倣し、システムの弱点を発見しやすくする「レッドチーミング」という手法が注目を集めている。

（4）プライバシー

プライバシーは、何とも定義が困難な概念だ。伝統的には、「ひとりで放っておいてもらう権利」や「私生活をみだりに公開されない権利」のように、私的領域に他人が土足で踏み込んでこない権利を意味すると考えられてきた。しかし、ＡＩ技術の進展によって、土足で踏み込まずとも、個人に関するデータを用いて行動の予測や誘導など様々な影響を与えられるようになった。昨今では、プライバシーに関する考え方として、「自分に関するデータの適正な管理を行わせる権利」、「データの扱いに関して適切な情報と選択権を与えられる権利」、「自己に関する情報をコントロールする権利」など、様々な見解がある。これらの見解は、どれか一つが正解というわけではなく、データの性質や利用の目的などに応じて、ケースバイケースで判断されるべきものだろう。

ＡＩによって私生活を追跡したり政治的思想を予測したりすることは、個人の尊厳に直結するものであり、本章1で述べた基本的な価値の問題というべきだ。他方で、購買データを販売予測や本人への商品のレコメンドのみに使う場合など、本人への害は少ないが相互の信頼形成のために適切な説明が求められるような場合もある。そのような場合には、ＡＩの安全性（精度）など、プライバシーとトレードオフの関係にある他のＡＩ原則とのバランスも考慮しながら適切な取り扱いを検討する必要があるだろう。

（5）公平性

公平性とは、人々がその人種、性別、国籍、年齢、政治的信条、宗教等の属性を理由に不当な差別をされず、公平に扱われることをいう。

第1章で述べたとおり、ＡＩには、学習したデータのもつバイアスを反映してしまうという問題が存在する。具体的には、歴史的に男性が優遇されてきたといった社会に存在するシステマティックバイアス、データのラベリングを行う人間にバイアスが含まれていたといった人間的バイアス、使われた学習データに偏りがあったという統計的バイアスなどが存在する。ＡＩシステムの提供者としては、システムがこれらの不適切なバイアスを除去した公平なものであることを確保する必要がある。

ただし、何をもって公平と評価するかは困難な問題だ。よく知られた例として、「アファーマティブアクション（積極的差別是正措置）」の問題がある。大学の入試において、歴史的に差別を受けてきた人種を優遇するのは、白人などの多数派への差別だろうか、それとも歴史的な差別を是正する意味で、実質的な公平性を確保する措置だろうか。二〇二三年には、ハーバード大学とノースカロライナ大学の入試で実施されたアファーマティブアクションを違憲とする連邦最高裁判決が出て、大きな話題となった（つまり、少数人種を優遇することが差別にあたるということだ）。この判断には、大学における多様性確保の機会を奪うものであるとの批判も多い。様々な団体が公表しているＡＩ原則の中には、公平性とは別に包摂性や多様性を挙げるものもあり、そのような観点からは、アファーマティブアクションを肯定する余地もあるだろう。

また、第1章で紹介した再犯予測システム「ＣＯＭＰＡＳ」の事例のように、グループごとに偽陽性と偽陰性の割合が一致するという意味での公平性と、各人ごとに再犯の可能性が等しく算出されるという公平性は相いれないという場合もある。

企業の採用や与信の判断にＡＩを用いる際に公平性への配慮が必要であることは疑いがないが、企業としては、そもそも何をもって公平というかという点を含めて、ステークホルダーを巻き込んだ慎重な議論が必要になるだろう。

(6) 透明性・説明可能性

以上に述べた要素は、いずれもAIシステムが満たすべきものであるが、それが本当に満たされているかどうかを第三者が外から判断することはできない。そこで、AIを実装する側が、AIシステムに関する透明性を確保することが必要となる。

透明性を語る際にポイントとなるのは、アルゴリズムのコードを開示すればよいという話ではないということだ。重要なのは、ステークホルダーの役割や知識の水準に応じて、AIシステムやその運用体制に関する適切な量と質の情報が提供されることだ。たとえば、AIシステムの設計、訓練データ、モデルの構造、モデルの評価結果といったAIシステム自体に関する情報や、AIを使用している事実や使用の用途、組織としてのAIポリシーなどについて分かりやすい形で開示することが考えられる。

挙動がブラックボックスであるAIについては、説明可能性(Explainability)が求められる場面もある。説明可能性とは、AIの判断根拠について、人間に理解可能な形で示せることだ。といっても、ディープラーニングの挙動を人間が直接理解することは不可能なので、より単純なモデル(線形モデルや決定木など)で近似値を出したり、入力されたデータのどの特徴が出力に影響したかを可視化する技術（画像解析についてはGrad-CAM、構造化データについてはSHAP、自然言語処理についてはアテンションなどの手法がある）を使ったりすることがある。ただし、これらについては、単純化によって精度が落ちてしまうことや、相関関係を示すだけであって因果関係を示すものではないといった限界もある。

（7）アカウンタビリティ

アカウンタビリティは、日本語では「説明責任」と訳されることも多いが、本来の意味は、単に説明するということではない（本書の整理では、単に説明することは「透明性」の一部である）。企業の社会的責任に関する国際標準（ISO 26000）によれば、アカウンタビリティとは、組織の決定および活動に関して、ステークホルダーに対して答責性（being answerable）のある状態をいう。答責性とは、自己の行為を正当化し、質疑に答えると共に、結果に関する責任を取ることだ。

これまでに見てきた有効性、安全性、セキュリティ、プライバシー、公平性、透明性という諸原則は、いずれも置かれた文脈によって意味の異なる幅のある概念であった。アカウンタビリティとは、まさにそうした抽象的な概念に関する自らの選択を正当化し、ＡＩの設計から実装までのライフサイクルを通じてこれを実施し、第三者からの疑問に答えることである。さらに、結果についての責任を取るという観点からは、問題が生じた際の問い合わせ窓口を設けることや、被害者に迅速に補償が行われるような体制を整備することもアカウンタビリティの一環だ。

このアカウンタビリティは、他のＡＩ原則全てについて適用されるものであり、図9でも全体にかかる位置に配置されている。バリューチェーン上の主体が多いＡＩシステムのガバナンスにおいては、最終的に各主体がアカウンタビリティを尽くすことが極めて重要となる。

（8）ＡＩ原則のまとめ

以上、ＡＩ原則を概観してきた。最後に、これら全体に関して重要なポイントを説明する。

第一に、本章1で述べた基本的価値（基本的人権・民主主義・経済成長・サステナビリティ）との関係についてだ。これらはしばしば混同して用いられるが、重要な違いがある。それは、基本的人権などの価値が我々の社会における最終的な目標であるのに対して、ＡＩ原則は、それらをＡＩの文脈で達成するための中間目標だということだ。たとえば、透明性は、それ自体が最終目的なのではなく、ＡＩの透明性を確保することによって、そのＡＩを使うかどうかに関する人間の自己決定権を確保したり、身体や精神の健康への影響を検証できたりすることを目標とするものだ。だから、なんでもかんでも透明にすればよいということではない。同じように、公平性も、全ての人をまったく同じように扱うというのであれば、そもそもＡＩの出る幕はない。何をもって社会的に許容可能なバイアスなのかという点については、問題になっている基本的人権（マイノリティの権利、女性の権利等）との関係で個別に検討する必要がある。

このように、ＡＩ原則は、これまでの社会の土台となってきた人権や民主主義などの基本的価値と、ＡＩという新しい技術がもたらす課題を橋渡しするものだ。ＡＩガバナンスの文脈では、ＡＩ原則のみが語られることも多いが、まずは、従来の社会で中核とされてきた基本的価値について、具体的な状況を踏まえながら検討することが重要だ。

第二に、ＡＩ原則は、どれかが満たされればよいのではなく、全てが満たされる必要がある。精度は高いがプライバシー侵害の度合いが高いＡＩや、セキュリティは確保されているが透明性を欠くＡＩなどは、いずれも好ましくない。そして、精度とプライバシー、セキュリティと透明性などは、どちらかを重視すると他方が犠牲になるというトレードオフの関係にあることが多く、ＡＩシステムの提供者としては、これらのベストバランスを模索しなければならない。

第三に、ＡＩ原則は、ＡＩを使った価値創出に関わるあらゆる主体にとって重要だということだ。それぞれのＡＩについて、どのようなレベルの性能や安全性が求められるのか、何がユーザーにとって公平か、どのような説明が提供されるべきか、といったことは、文脈によって異なる。したがって、他者が開発したＡＩモデルをそのまま使えば問題がないということではなく、ＡＩを使ったサービスを提供したり利用したりする各主体が、ＡＩ原則について真摯に検討する必要があるのだ。

以上、本章では、ＡＩガバナンスにおける基本的価値と、それを実現するにあたって特に注意すべきＡＩ原則について述べた。それでは、これらの価値や原則を個別のシステムにどう落とし込めばよいのだろうか。次章では、そのような「ＡＩシステムのガバナンス」についてみていきたい。

第4章

AIシステムのガバナンス

1．基本的な考え方

前章で紹介した基本的人権やサステナビリティといった基本的な価値や、安全性・プライバシー・公平性といったＡＩ原則は、最終的には具体的なＡＩシステムの設計や運用の中で実現される必要がある。そして、その実践は、第一次的にはＡＩシステムを提供する主体（民間だけでなく、公的な主体も含む）が行うべきものだ。

その方法については、世界中で多くのガイダンスが公表されている。日本では、これまで経済産業省が「ＡＩ原則実践のためのガバナンス・ガイドライン」を、総務省が「国際的な議論のためのＡＩ開発ガイドライン案」と「ＡＩ利活用ガイドライン」を公表していたが、二〇二三年末にはこれらが統合されて新たな事業者向けガイドラインが作成される予定だ（筆者もその検討に加わっている）。外国政府のものとしては、第3章でも紹介した、米国国立標準技術研究所（ＮＩＳＴ）が発行しているＡＩリスクマネジメントフレームワーク（ＡＩ ＲＭＦ）がよく知られる。また、国際標準としては、国際標準化機構（ＩＳＯ）がＡＩに関する規格を発行している（ISO/IEC JTC 1/SC 42）。ほかにも、電気・情報工学の標準化機関であるIEEEや、欧州の標準化団体であるCEN／CENELECなどで規格作りが進んでいる。学術機関の発行するものとしては、英国のアラン・チューリング研究所が公表している「AIシステムのための人権・民主主義・法の支配に関する信頼確保枠組」（HUDERAF）が網羅的だ。民間企業の例としては、マイクロソフトが公表している「責任あるAIの基本原則」や、富士通が公表している「AI倫理影響評価　実践ガイド」などが影響評価の手順を記述している。

これらの文書は分量も多く（HUDERAFは、三〇〇ページ以上もある！）、また価値や組織、ルールなど様々なレベルの話が登場するので、そのまま読み進めても全体像を理解することが難しい。しかし、これらをひもといてゆくと、基本的な考え方や構造は非常によく似ており、またシンプルであることが分かる。そこで以下では、これらの様々なガイダンスに共通するエッセンスを解説しよう。

はじめに注意しておきたいのは、AIを使うからといって、そのためにガバナンスをゼロから考える必要はないということだ。世の中には、AIの実装以前から培われてきたリスクマネジメントや影響評価の手法がある。AIガバナンスは、そうした一般的なガバナンスの手法を土台として、AIにとって特に注意すべき要素を加えたものであればよい。

それでは、AIシステムに特徴的な要素とは何であろうか。本書の第1章3では、AIリスクの特徴を説明したが、その内容を簡単に振り返っておこう。

①予測や説明の難しさ
ＡＩの判断過程がブラックボックスであり、予測や説明ができない。

②バリューチェーン上の主体の多さ
データ提供者、ＡＩモデルの開発者、ＡＩサービスの提供者、消費者など、バリューチェーン上に様々な主体が関与しており、責任の範囲や主体が不明確になる。

③技術革新や普及の速さ
従来の技術と比べて、イノベーションやその普及の速度が各段に速い。

④信頼性判断の難しさ
アルゴリズムの複雑性やブラックボックス性から、何を根拠にそのＡＩを信頼してよいのかが第三者から分からない。

⑤正解のない倫理的な課題
　プライバシーや公平性などに関して、これまで人間が現実に直面してこなかった様々な倫理的な問いが噴出している。
⑥グローバル化
　サービスが簡単に国境を越えられるため、様々な国のルールに対応する必要がある。
⑦汎用モデルがもたらす未知の影響
　様々な用途に使える汎用モデルについては、中長期にわたってどのような社会的影響が生じるかが誰にも分からない。

　これらの特徴を踏まえると、ＡＩガバナンスにとって特に重要なのは、（ⅰ）状況変化に即応できる迅速性・柔軟性、（ⅱ）多様なステークホルダーとの対話と協調、（ⅲ）信頼獲得のための透明性、（ⅳ）国際的なルールや慣行との互換性、といった要素であることが分かる。以下では、これらの要素を考慮しながら、世界の様々なガイダンスを参照しつつ、ＡＩシステムのガバナンスの基本をみていく。その際、まずはひとつの組織の中でどのようなガバナンスを行うべきかを説明し、続いて、バリューチェーン上にいる複数の組織をまたいだガバナンスについて述べる。

2. 組織内のガバナンス

(1) 二重ループのプロセス

ＡＩの技術進歩や普及は極めて速く、そうした中で、技術的にも予見や説明が困難なＡＩが社会に与えるインパクトを事前に予測することは不可能だ。また、ＡＩのバリューチェーン上には多くの主体が存在し、その一つ（たとえば、基盤となる生成ＡＩのモデル）に生じた変化が、その下流のサービス（たとえば、その生成ＡＩモデルをベースにしたチャットボットサービス）にどのような影響を与えるのかは誰にも予想できない。さらに、ＡＩの革新性は、これまで十分に社会的合意が形成されてこなかった新たな倫理的課題を次々と生む。このように、ＡＩシステムを取り巻くリスク状況や環境は常に変化する可能性があり、「一度決めたルールを守り抜く」という形のガバナンスでは対応できない。

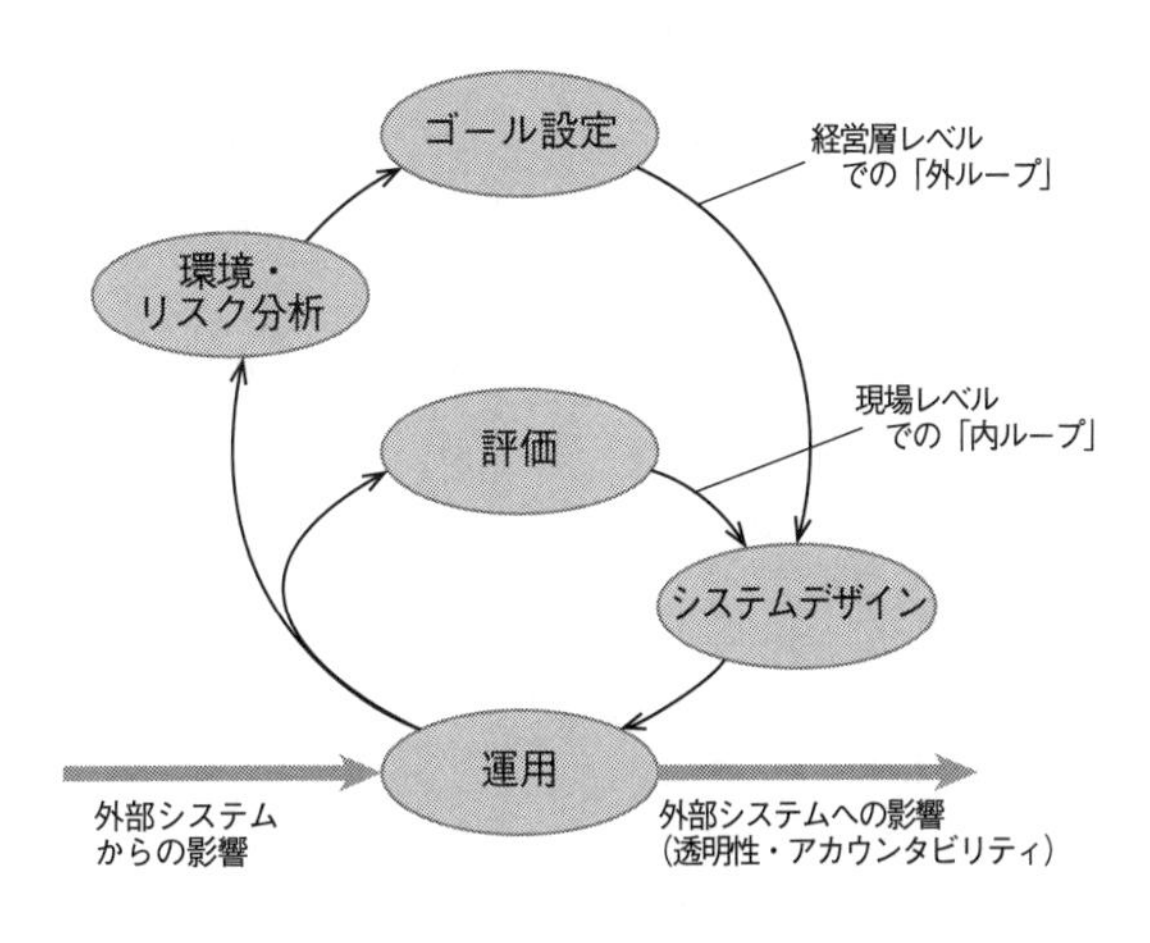

図10：日本のガイドラインにおける二重ループ

世界各地で公表されているＡＩガバナンスに関するガイダンスも、こうした問題意識をもとに構成されている。そこでポイントとなるのは、「二重ループ」の考えだ。二重ループとは、①ＡＩシステムがもたらすリスクや影響を評価し、対策を行うという「現場レベル」でのフィードバックサイクルと、②そのような評価や対策を実施するためのルールや組織、体制などを評価し改善するという「経営層レベル」でのフィードバックサイクルのことだ。本書では、この考え方を採用している日本政府のガイドラインを参照して、①を「内ループ」、②を「外ループ」と呼ぶことにしよう。

ＡＩサービスを実装する際、それに関する様々なリスクを評価し、適切な対応を行う必要がある。これがリスクマネジメントの最も基本的なプロセスであり、先ほど「内ループ」と呼んだものだ。しかし、そもそも組織としてどのようなリスクに優先的に取り組むべきだろうか。誰がどのような手続きでリスク評価を実施するのだろうか。その際、どのような項目について誰の意見を取り入れるべきだろうか。今よりもずっと変化が遅かった時代には、こうしたルールや体制については一度決めればそれでよく、あとは淡々と決められたプロセスを現場で実践していればよかったかもしれない。しかし、技術の内容や社会の価値観が常に変化する現代においては、リスクの評価プロセスや評価基準自体を常に見直し、アップデートしていく必要があるのだ。

このような「二重のループ」の考え方は、リスクマネジメントに関する国際標準（ISO31000：2018）や、米国のNISTのAIリスクマネジメントフレームワークでも採用されている。日本のガイドラインでは、このような二重ループを継続的に回転させていくモデルを「アジャイル・ガバナンス」と呼んでいる。

以下では、各ループの主なプロセスを、外ループ（経営層レベル）↓内ループ（現場レベル）という順にみていこう。民間企業におけるガバナンスを念頭に記述するが、国や自治体などの公的機関がAIサービスを提供する場合にも、基本的に同じ考え方が当てはまる。フレームワークに関する少し抽象的な記述が続くが、その後でケーススタディも行うので、退屈な方はそちらまで飛んでいただいても結構だ。

（2）ガバナンス体制の構築（経営層レベル／外ループ）

a．経営層のリーダーシップとコミットメント

ＡＩシステムのガバナンスにおいて、出発点となるのは経営層のリーダーシップとコミットメントだ。会社法やコーポレートガバナンスコードでも、内部統制システムやリスク管理体制の整備は取締役の責務とされているが、ＡＩガバナンスもその一環として、経営層が責任をもって取り組む必要がある。

そのための第一歩としては、ＡＩリスクのマネジメントに関する継続的なコミットメントを、ポリシーなどを通じて外部に宣言することが考えられる。「ＡＩポリシー」のような独立の文書を策定することは真摯な姿勢を示すシグナルになるし、そこまでせずとも、自社のビジョンやミッションの中にＡＩを位置づけたり、国際機関や政府が出しているＡＩ原則を尊重する旨を明確にしたりすることも有意義だ。

b．ガバナンス体制の設計と実装

経営層は、上記のポリシーを踏まえ、自らのリーダーシップによって、ＡＩガバナンスの体制――ＡＩシステムがもたらす影響を評価し、適切に対応するための組織全体の方針やプ

ロセス——を整備する必要がある。

そのためには、まず組織の置かれた状況（コンテキスト）を理解しなければならない。日本のガイドラインでは、これらを「環境及びリスク」と表現している。具体的には、ルール、社会、文化、技術、環境などである。ＡＩの場合、強制力のある法律だけでなく、政府や業界団体などが公表するガイドラインなどのソフトローも重要だ。また、リスクをゼロにできないＡＩシステムについては、どのようなリスクが社会的・文化的に受容されるかを考慮する必要がある。技術についても、常に最新の動向やインシデント事例を確認しておく必要があるだろう。さらに、ステークホルダーから契約や慣習を通じて期待される事項についても配慮しなければならない。

体制やプロセスを構築する際には、問題となるリスクが、既存の体制で対応できるものかどうかを評価することが重要だ。たとえば、従来の業務を補助するツールとして既製品の生成ＡＩを使うような場合には、現状の組織をベースにマニュアルを整備することなどで足りる場合も多いだろう。他方で、自社で独自のＡＩツールを開発したり、それを顧客との関係で使用したりする場合には、新たに生じるリスクに対処するための専門チームを発足させることも考えられる。その際、ガバナンスに多角的な観点を導入するために、チームの多様性——年齢・性別・国籍・専門性など——を確保することが望ましい。そのチームがハブとなって、組織全体にポリシーを周知すると共に、誰もが安心して問題点を共有したり報告したりできるような心理的安全性を確保することが重要だ。

さらに、ＡＩシステムのガバナンスにあたっては、外部のステークホルダーと情報を共有したり、フィードバックを継続的に受けたりできる体制を作ることも必要だ。ここでのステークホルダーには、データ提供者や上流のＡＩ開発者なども含まれれば、エンドユーザーである消費者なども含む。なぜなら、バリューチェーンが複雑に絡み合うＡＩシステムにおいては、各主体の認識しているリスクや限界について正しく共有する必要があるし、公平性やプライバシーなどの文脈依存的な価値を定義するためには、組織の内部判断だけではなく、一般のエンドユーザーを含む多様なステークホルダーと対話することが重要だからだ。

ハイリスクの用途にＡＩを用いる場合は、外部の専門家も含むアドバイザリーボードを設置し、経営層への助言を得ることも検討に値する。

c．ガバナンス体制の評価・改善

組織の置かれた環境・リスク（コンテキスト）や、組織としてのゴールは、時間の経過と共に変化していくから、一度実装されたガバナンス体制も、定期的にモニタリングし、評価しなければならない。その際は、現在のリスクマネジメントシステムによってＡＩガバナンスの目的を達成できているかを確認すべきであり、目的と現状の間に乖離があった場合には、ガバナンス体制を改善する必要がある。

（3）AIシステムのリスクマネジメント（現場レベル／内ループ）

それでは、現場レベルにおけるAIシステムのガバナンスに必要な手順はどのようなものだろうか。世界中のガイダンス・標準等で詳細に議論されているところであるが、基本的な構造はどれも非常に似ており、シンプルだ。核となるのは、「AIシステムがもたらす影響（リスク）の評価→対応の決定と実施」という一連のプロセスだ。さらに、これらのプロセスに対する継続的なモニタリングと、実施結果の記録・報告、そしてこれらに関するステークホルダーへのコミュニケーションというプロセスが必要となる。リスクマネジメントに関する国際標準（ISO31000：2018）によれば、これらの関係は、図11のように整理できる。

なお、AIシステムのガバナンスについては、「影響評価」（インパクトアセスメント）という言葉のほかに、「リスク評価」（リスクアセスメント）という言葉も使われるが、本書では、マイナスの影響だけではなくプラスの影響も考慮することを明らかにするため、「影響評価」の用語を使う（ただし、実はISO31000の「リスク」も、プラスの事象を含む言葉だ）。

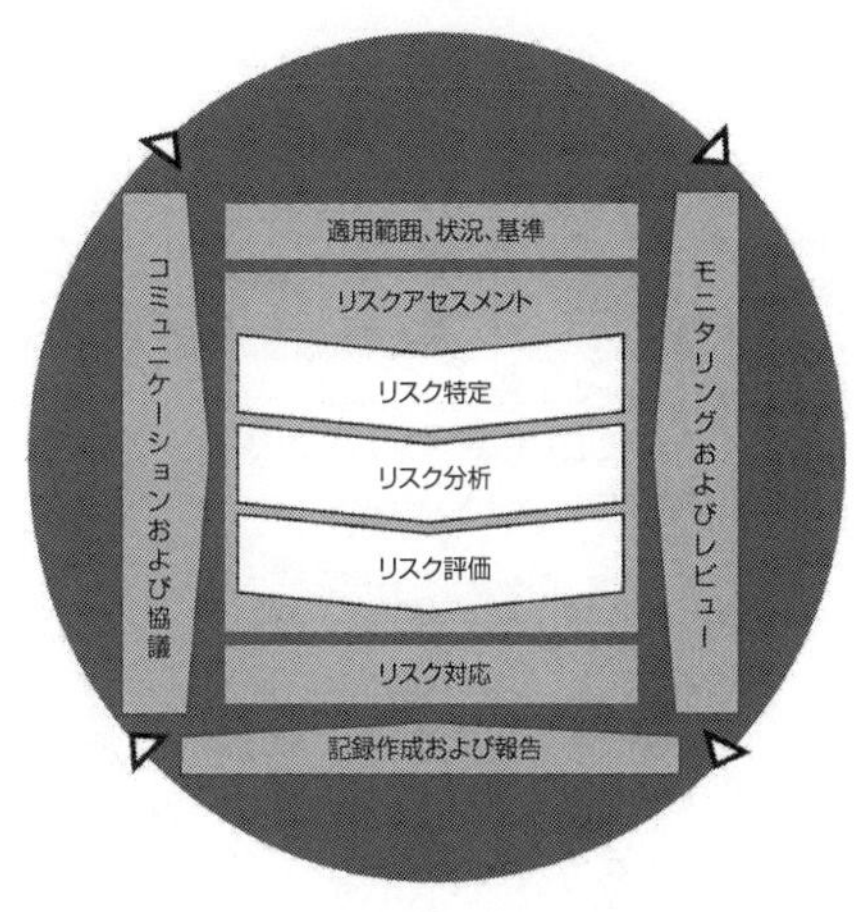

図11：リスクマネジメント（内ループ）のプロセス（ISO31000）

a．影響評価の実施

ＡＩシステムの影響評価の第一歩は、システムが置かれたコンテキストを理解し、各ステークホルダーへの利益とリスクをマッピングすることだ。ＡＩに関して生じたリスクについては、ニュース記事などのほか、非営利団体のＰＡＩ（Partnership on AI）が運営している「ＡＩインシデントデータベース」の事例なども参考になるだろう。

そのうえで、影響を測定する基準を決めることが必要だ。リスクは、危害の「重大度×発生確率」として表される。重大度や発生確率を算定する際には、ＡＩに様々なストレステストを行って、システムの誤作動や不適切な挙動がないか確認することが効果的だ。

発生確率（Likelihood） ＼ 深刻さ（Severity）	1.5	2.5	3	3.5	4	4.5	5	5.5	6
1	2.5	3.5	4	4.5	5	5.5	6	6.5	7
2	3.5	4.5	5	5.5	6	6.5	7	7.5	8
3	4.5	5.5	6	6.5	7	7.5	8	8.5	9
4	5.5	6.5	7	7.5	8	8.5	9	9.5	10

図12：HUDERAFのリスクマトリクス

ただ、ストレステストによってリスクの重大度や発生確率がある程度想定できたとしても、それが人権やサステナビリティなどに与える影響は、単純に数値化できるわけではない。そこで、ある程度抽象的な影響評価を行うこともある。

たとえば、重大度として、①壊滅的（Catastrophic）、②重大（Critical/Serious）、③限定的（Moderate）、④軽微（Minor）といった四つほどのレベルに分類し、発生確率については、「低い」（unlikely）、「発生の可能性あり」（possible）、「おそらく発生する」（likely）、「ほぼ確実に発生する」（very likely）といった区分を適用する。そして、これらを掛け合わせた表（リスクマトリクス）によって、最終的なリスクの判断を行う。図12は、英国のＨＵＤＥＲＡＦのリスクマトリクスだ。

ここでは、個々のリスクの重大さとリスクを受ける人の数を考慮した「深刻さ」（severity）を横軸にとり、その発生確率（likelihood）を縦軸にとって、これらを足し合わせた値によって、最終的なリスクの重大度を四段階（非常に高リスク／高リスク／中間的なリスク／低リスク）に割り振っている。そして、割り振ったリスクに応じて、プロジェクト実施の可否、さらなるリスク検証の必要性や、リスクへの対応の方針を決定する。

影響評価の手法はこのようなリスクマトリクスだけではないが、いずれの手法を取るにせよ、ＡＩの影響評価を一つの組織の中だけで行うことは難しい。すなわち、ＡＩのもたらすリスクは、プライバシーや公平性など、定義が非常に困難なものが多い。比較的客観的に測定できそうな安全性ですら、ＡＩの場合は確率的にしか判断できないし、トロッコ問題のような倫理的な価値判断も持ち込まれる。こうした判断は、一部の人だけでできるものではなく、多様性をもったステークホルダーとの対話によって問題点を抽出し、受容可能性を検討していくことが不可欠だ。さらに、技術や価値観の変化が加速しているため、関係者からのフィードバックも踏まえながら、影響評価を定期的に実施することが重要となる。

b．リスクへの対応

影響評価を行った後は、各リスクへの対応を検討することになる。そこには、大きく分けて、四つの選択肢がある。①リスクの保有、②リスクの軽減、③リスクの移転、④リスクの回避だ。これらは、ＡＩシステムがもたらす最終的な正負のインパクトを分析することで決まる。

「リスクの保有」とは、正しい情報に基づいた意思決定として、リスクを受け入れたままプロジェクトを進めるということだ。現状でもＡＩシステムがもたらすリスクが十分に低く、他方でステークホルダーへの利益が見込める場合には、この選択肢をとることになるだろう。「リスクの軽減」とは、現状のリスクを減らすために、リスクの原因を取り除いたり、発生確率や発生した際のダメージを軽減したりすることだ。その方法としては、リスクを予防するためのモニタリングや、リスク発見時の迅速な報告と対応に関するルールや体制を整備することなどが基本だ。たとえば、学習するデータにバイアスが含まれないか事前にスクリーニングしておくこと、問題発生時にすぐに原因を特定できるようにモデルの説明可能性を確保しておくこと、いざというときに人間が操作を引き継いで最悪の事態を避けられるようにしておくことなどが挙げられる。

ＡＩリスクの軽減のためには、技術的措置を取り入れることも重要となる。ＡＩの処理スピードは速く、出力の内容を人間が一つひとつチェックしていては追いつかない場合も多い。そのため、一定の不適切な出力を出さないようシステムをあらかじめ設計しておくことが考えられる。このような技術的措置は、「ガードレール」と呼ばれることもある。ＣｈａｔＧＰＴに誹謗中傷コメントを作るように求めたり、個人に関する情報を求めたりすると、「そのようなリクエストには応えられません」といった答えが返ってくるが、これは、システムが、他人を害する情報や個人情報を出力しないように設計されているからだ。また、プライバシーについては、プライバシー保護技術（ＰＥＴｓ）と呼ばれる技術がある。データセットの中の個人情報が特定されないようにダミーデータを混ぜる差分プライバシーや、データを暗号化したまま計算することができる秘密計算といった技術が存在する。ただし、こうした技術は精度の低下をもたらすこともあるので、有効性や安全性に悪影響を及ぼす可能性があることに注意が必要だ。

さらに、問題が生じた際に被害者が迅速に不服を申し立てたり救済を得られたりする仕組みを整備しておくことも、重要なリスク軽減策だ。ＡＩシステムの性質上、絶対に誤りがないことなどあり得ないし、誤りについて適切にフィードバックを受けることこそ性能の向上につながる。そのため、ＡＩシステムの場合は特に、ユーザーなどのステークホルダーからのフィードバックを受け付け、かつ迅速に救済を与えられるような仕組みの整備が重要となる。

以上のように、「リスクの軽減」のためには、組織のルール・体制・技術を一貫して整備することが必要だ。これらの組み合わせが一定の基準を満たすことについて、独立の第三者から監査や認証を受けることもあり得る。

「リスクの移転」とは、リスクがあることを前提としつつ、契約や保険によって第三者にリスクを移転したり共有したりする方法だ。契約による方法とは、たとえばＡＩ開発者が、データ提供者との間の契約で、データに第三者の権利（著作権など）が含まれていた場合でも一切の責任を負わないと定めることなどが挙げられる。利用規約などによってサービスのユーザーに一定の免責条項を受け入れてもらうことも（それに問題がないかはさておき）リスク移転の方法のひとつだ。

最後に、「リスクの回避」とは、その名のとおりリスクを受容できないためにＡＩの使用を停止するということだ。第1章で述べたアマゾンの採用アルゴリズムでは、最終的に差別を解消することが困難だとして、システムの使用を取りやめた。ただし、現在では多くの企業が採用判断にアルゴリズムを使っている。二〇二三年七月にニューヨーク市で施行された採用アルゴリズムに関する法律では、応募者にＡＩを使用することを通知するなどの透明化措置と、年に一回の独立した第三者によるアルゴリズム監査を受けることなどを条件に、採用におけるアルゴリズムの使用を認めている。

c．モニタリングと評価

図11に示したように、リスクの初期的評価からリスクへの対応に至るまで、ガバナンスのあらゆる工程においてモニタリングと評価を行うことが重要だ。

リスクマネジメントの体制については、内部監査人協会（ＩＩＡ）が、「３ラインモデル」という仕組みを公表している。製品やサービスを提供する部門による第一のライン、リスクに関する専門知識を有する第二のライン（管理部門やコンプライアンス部門など）、そして独立した内部監査を行う第三のライン、という流れだ。第一のラインと第二のラインは、協力して価値創造とリスクマネジメントの両立を行い、それを独立した監査部門がチェックすることが一般的だ。

さらにインパクトの大きいＡＩシステムについては、中立かつ専門的な外部の主体から監査を受けることも考えられる。昨今では、ＡＩのストレステストや信頼性評価を行う企業も登場してきており、生成ＡＩなど一定の重要なモデルに対する第三者認証（ライセンス）の仕組みの導入に関する議論も始まっている。

d．記録と開示

ＡＩのリスクマネジメントは、継続的に繰り返し行われる必要があり、その都度適切に文書化し記録に残しておくことが重要だ。

記録およびそれを踏まえた評価を報告する相手は、組織内のマネジメントだけではない。ＡＩシステムの評価にあたってはステークホルダーの参加を得ることが重要であり、そのようなステークホルダーに対する報告のためにも、リスクマネジメントの記録を適切に作成し保存しておく必要がある。

ただし、中には営業秘密に関わるなどの理由で、一般公開に適さないデータも多いだろう。そのような場合には、政府や研究者、監査法人など、中立な第三者のみにデータを共有するという方法もある。たとえば、ＥＵのデジタルサービス法は、認定を受けた研究者に対して、特定の研究目的（アルゴリズムの公平性の判断など）で、デジタルプラットフォームの保有するデータにアクセスすることを認めている。

e．ステークホルダーとの対話

既に述べたように、ＡＩのもたらすリスクは、定義も測定も困難なものが多い。そのため、リスクの判断においては、製品の設計から開発、提供に至るまで、あらゆるステージでステークホルダーに情報開示を行い、対話を通じてリスクを特定し対応していくことが必要だ。

たとえば、メタ（旧フェイスブック）では、デジタル仮想空間であるメタバースに関する責任についての参考とするため、三二か国から集められた多様性のある六〇〇〇人以上による民主的なプロセスを実施した。また、OpenAIは、民主的プロセスを通じてＡＩに関するルールを決めるための方法について、一〇件に一〇万ドルを助成するプログラムを公表した。

これらの例は極めて大規模なものだが、小規模なプロジェクトにおいても、社内だけでなく多様性のあるステークホルダーの意見を随時取り入れられるような取組みを実施することが望ましい。

3. バリューチェーンのガバナンス

ＡＩサービスのライフサイクルには、①ＡＩシステムを開発するＡＩ開発者、②ＡＩシステムを他のシステムやアプリケーションに組み込み提供するＡＩ提供者、③事業活動においてＡＩシステムやＡＩサービスを利用するＡＩ利用者などを含む様々な主体が存在する。

こうしたライフサイクルの全過程を一社だけでカバーするケースもあるが、それぞれを異なる主体が担うことも多い。様々な主体が関与するＡＩシステムのガバナンスを検討するにあたっては、一社内部のガバナンスを考えるだけでは不十分であり、ライフサイクル全体でのガバナンスを考えなければならない。すなわち、バリューチェーン上の異なる主体による信頼のリレーを築く必要があるということだ。

たとえば、ＡＩ開発者にとっては、学習するデータに不適切なバイアスがないか、著作権などの第三者の権利が含まれていないかといった点が重要な影響評価のポイントになる（なお、日本では、ＡＩを学習させる際に、原則として著作権者の許可なく著作物を使ってよいこととされているが、これは世界的にみても珍しいルールだ）。そのうえで、ＡＩ提供者に対して、考えられるユースケースを念頭に、性能の限界の説明や使用上の注意、責任の範囲の明確化などを行うことになるだろう。ＡＩ開発者自身が、生成ＡＩについての責任を引き受けることを宣言する例もある。たとえば、マイクロソフト、アドビ、グーグルなどは、自社の提供する生成ＡＩが著作権を侵害した場合、顧客に生じた損害を補償するとしている。

これに対し、ＡＩ提供者（ＡＩを使ったアプリの提供者など）は、利用者に直接影響を与える立場なので、具体的な使用場面に関する影響評価を行う必要がある。ＡＩモデルのリスクと、そのＡＩモデルを使用したサービスのリスクとは似て非なるものだ。上流にいるＡＩ開発者が提供する情報も踏まえながら、実際のサービスの中で差別的な出力や危険な出力がないか、悪用への対策は十分かをテストしてリスク対応を行うべきだろう。また、ＡＩ開発者との間の契約（利用規約）の内容にも注意が必要だ。その中で、ＡＩ開発者とＡＩ提供者の責任の範囲や、入出力データに関する権利関係などについて規定されている可能性が高いからだ。なお、ＡＩ提供者が、既存のＡＩモデルをベースに、自社独自のデータを使って新

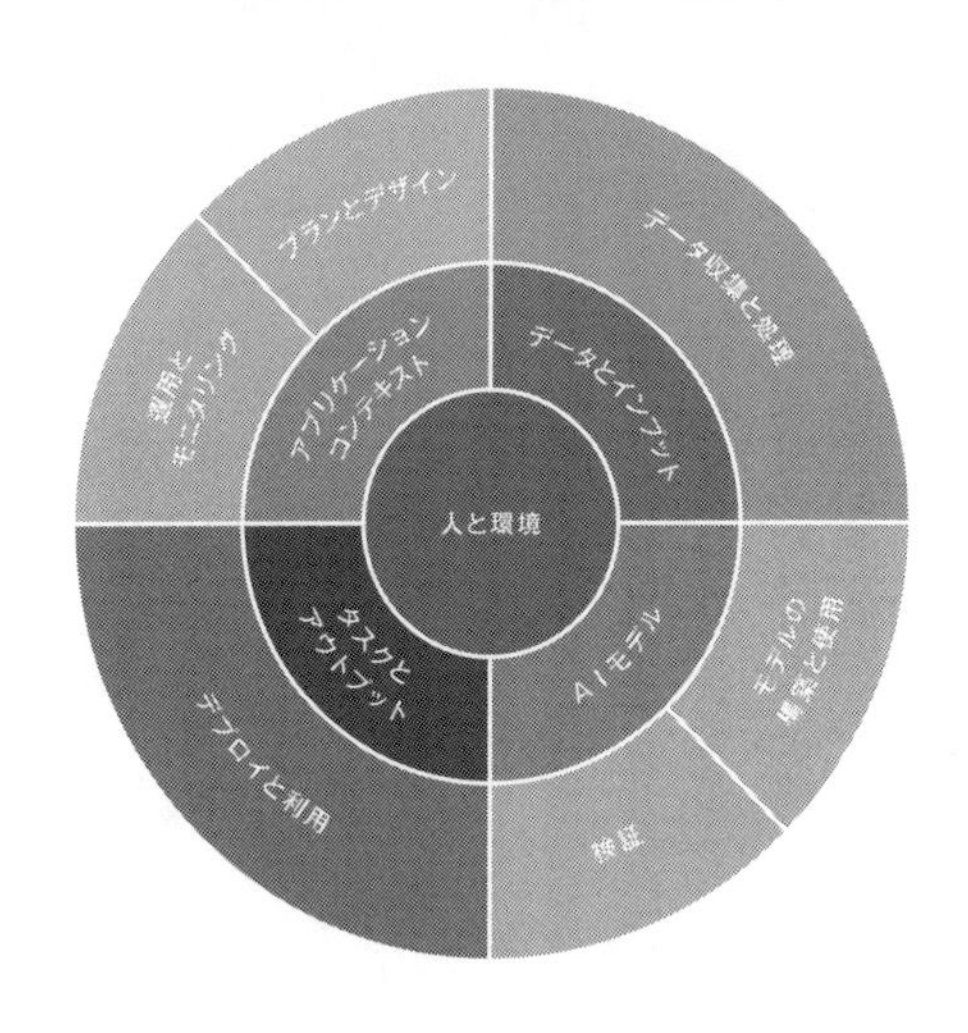

図13：AIシステムのライフサイクル（NIST AI RMF 1.0）より

たなモデルを作る「ファインチューニング」という手法も存在する。ＣｈａｔＧＰＴに自社のサービスに関するデータを追加学習させて、自社の顧客対応に特化したチャットボットを作るような場合だ。この場合、追加学習の部分については、ＡＩ開発者と同じように、学習データの適切性への配慮などが必要になる。

ＡＩ利用者は、扱うＡＩの性能やリスクについて十分に理解したうえで、自身や第三者へのリスクを受容可能な範囲内に収められるよう配慮すべきだ。企業がＡＩ利用者となる場合は、ＡＩを使用する従業員への教育も重要になるだろう。

このように書くと、ＡＩのバリューチェーンはあたかも開発→提供→利用と時系列順に並ぶように見えるが、現実はそう単純ではない。たとえば、AIサービスが提供された後に、AI利用者のインプットを踏まえてAIモデルがアップデートされる場合、AI利用者→AI開発者→AI提供者という順で影響が伝播することになる。また、ここではAIシステムの中のステークホルダーだけを扱ったが、その外側には、チップ（半導体）の製造者、端末の製造者、通信事業者、クラウド事業者なども存在し、これらのバリューチェーンは極めて複雑だ。しかも、これらの主体は各自ばらばらにその性能や仕様をアップデートしていく。そのような複雑な環境の中で、どのようにして相互の信頼をリレーしていけばよいのかは、現時点では未解決の問題だ。

4．ケーススタディ：広告自動作成AI

AIシステムのガバナンスに関する具体的なイメージをもっていただくために、単純なケーススタディを考えてみよう（なお、これは仮想事例なので、実際の企業やプロダクトとは一切関係がない）。

イケテルデザイン社（以下、イケテル社）は、広告の画像やキャッチコピーを制作する中規模の広告制作会社だ。これまで、所属するデザイナーやコピーライターが広告を制作してきたが、今般の生成ＡＩの飛躍的進化を受け、自社サービスでもこれを活用することにした。

・第一段階（既製品の社内利用）
まずは、デザイナーやコピーライターが、既製品の画像生成ＡＩと文章生成ＡＩを使ってみることにした。使うのは、米国に本社があるオープンテック社（以下、オープン社）の画像・言語生成モデル、Open5.0だ。さすがに思い通りとはいかないが、初期的なキャッチコピーを瞬時に一〇〇個出してくれるなど、「数撃ちゃ当たる」作戦を取ればなかなか役に立つことが分かった。

・第二段階（ファインチューニングモデルの社内利用）
イケテル社は、「広告でもっと地球を幸せに」をミッションとしており、その作品は、自然の中に多様な人々を配置した親しみやすいタッチのものが多い。しかし、Open5.0の画像生成ＡＩと文章生成ＡＩでは、そのようなイメージと異なる出力になることが多く、ＡＩへの指示（プロンプト）を工夫しても限界がある。そこで、既存のOpen5.0モデルをベースに、自社の過去のデザインデータを学習させて、オリジナルの生成ＡＩモデルを作ることにした（ファインチューニング）。この作業は、ＡＩベンダーのディープＡＩ社（以下、ディープ社）に外部委託している。ただし、これはあくまでも人間のクリエイターの制作の補助ツールであって、ＡＩの作品をそのまま世に出すことはない。

・第三段階（ファインチューニングモデルの外部ライセンス）

ファインチューニングは成功し、ＡＩによる出力の質はかなり向上した。その結果、業界大手の強大社から、そのモデルを自社でも使わせてくれないかという相談が来た。金額的にはかなりの好条件を提示されている。

あなたが、イケテル社の経営者だったら、あるいは現場の担当社員だったら、どのような対応をするべきだろうか。段階ごとにみていこう。

（1）第一段階（既製品の社内利用）

自社プロダクトの作成において生成ＡＩの利用を始める際、経営者としては、まず何らかのポリシーを表明するのがよいだろう。自社のビジョンやミッションの達成に生成ＡＩがどのように貢献するのか、生成ＡＩのリスクについてどのような姿勢で臨むのか、ということを対内外に分かりやすく発信できるとよい。特に、生成ＡＩを使うことが制作コンテンツの質を低下させるのではないかという顧客側の懸念や、環境に優しいイメージをもつイケテル社が環境負荷の大きい生成ＡＩを使うことの是非などについては配慮が必要になるだろう。たとえば、前者については、生成ＡＩがクリエイターにより多くの発想をもたらすことや、全クリエイターが最終的なプロダクトの品質にコミットすることを掲げることなどが考えられる。後者については、環境負荷の少ないモデルを選択することなどが説明できるとよいだろう。

それでは、組織体制についてはどうだろうか。イケテル社には、制作コンテンツを倫理的な面（炎上対策）も含めてチェックする品質管理部門と、制作コンテンツが著作権を侵害していないかをチェックする知的財産部門がある。既製品を自社利用するだけの第一段階においては、引き続きこれらの部門が倫理チェックや知財チェックをすればよいだろう（もちろん、まずはクリエイターの側でこれらの点に気を付けるのが大前提だ）。そのうえで、生成ＡＩを使う際には、入力する情報についても気を付けなければならない。たとえば、自社の保有する個人情報をプロンプトに入力してしまうことは、個人情報保護法違反とされる可能性がある。また、生成ＡＩに「歳嶋洋一朗先生のような絵を描いて」などと入力することは、著作権違反のコンテンツを生んでしまう可能性がある。これに対して、「水と光が創り出す淡いタッチの美しい西洋の風景画を描いて」といった指示であればリスクは少ないだろう。

このような生成ＡＩの利用上の注意については、法務部門やコンプライアンス部門などが音頭をとって取りまとめることが考えられる。その際は、日本ディープラーニング協会が公表している「生成ＡＩの利用ガイドライン」などが参考になるだろう。

以上のように、この段階ではまだ既存の体制で対応できることがほとんどで、社内の組織体制に手を加える必要はないかもしれない。品質管理部門、知財部門、法務・コンプライアンス部門などの実務担当者は、上記のような点に注意しつつ、適宜相互に連絡をとってリスク管理を行うことになる。

（２）第二段階（ファインチューニングモデルの社内利用）

自前のデータをＡＩに学習させてファインチューニングする第二段階になると、リスク状況がもっと複雑になる。まず、ＡＩの学習のためにデータを入力する行為が適法であるかどうかをチェックしなければならない。ここでもやはり個人情報保護法や著作権法が問題になる。著作権法について、日本では原則として機械学習のために他人の著作物を使ってもよいことになっているが、「著作権者の利益を不当に害しない限りで」というただし書きがついているし（かつ、それが具体的に何を意味するのかの解釈は定まっていない）、著作権者自身がそのような目的での使用を禁止している場合もあるので、油断はできない。営業秘密についてもリスクがある。不正競争防止法は、「営業秘密」を保護しているが（たとえば、イケテル社の未公表コンテンツなどは、営業秘密にあたるだろう）、営業秘密とは他人に共有されていない情報であることが前提なので、オープン社のモデルをベースにファインチューニングすると、もはや営業秘密ではないと判断されてしまうかもしれないのだ。このような法律上の様々なリスクについては、法務・コンプライアンス部門が主に対応することではあるが、学習するデータをどのように取得するか、また、生成ＡＩにどのような加工を施すのか、そしてそのデータをどのような方法でどこに移転して学習させるのか、といった点については、事業部門や技術部門との連携が不可欠だ。

ここで新たなステークホルダーが出てくる。今回のプロジェクトで技術部門を担うのは、委託先のディープ社だ。同社に対しても、イケテル社と同じ目線でガバナンスに取り組んでもらう必要がある。まずは、イケテル社のミッションやビジョンをディープ社に共有し、イケテル社のイメージと近い出力が出るようにＡＩを訓練してもらうことが大前提だ。その上で、法令違反のデータ収集や入力をしないこと、イケテル社のデータやそれを訓練したモデルに関するサイバーセキュリティ対策をしっかりとやること、開発中または完成後のモデルを他社に提供しないこと、納品後もメンテナンスやアップデートを行うこと、といった条件を契約によって遵守してもらうことになるだろう。これらは、契約という意味では法務の仕事だが、完成形を定義できないAIシステムについて、どこまでいけば納品できる状態なのかについては、企画部門がきちんと検討する必要がある。また、イケテル社からディープ社に預けるデータの取り扱いルールや、サイバーセキュリティの措置などについては、イケテル社のIT担当とディープ社との間で具体的な内容を詰める必要があるだろう。

基盤モデルの提供元であるオープン社も、ここではより重要なステークホルダーになる。基盤モデルのOpen5.0が突然アップデートされ、それによってせっかく作ったファインチューニングモデルがうまく機能しなくなるかもしれない。また、オープン社がファインチューニングモデルの使用に関する利用料金や使用条件を突然変更するかもしれない（この事例とは無関係だが、たとえば、ChatGPTを提供しているOpenAI社は、利用規約を頻繁に変更することで知られている）。これらは第一段階でも問題になることではあるが、お金をかけてファインチューニングを行った第二段階では、もはや後に引けないのでより深刻な問題となるだろう。もちろん、日本の中堅企業であるイケテル社が、世界規模のオープン社の利用規約を個別に交渉することは現実的ではない。そのため、影響評価にあたっては、契約内容の交渉の余地がないことを前提として検討する必要があるだろう。

従業員に関するリスクにも検討が必要だ。クリエイターとしては、自分の作品をもとに学習した生成ＡＩが、自分にそっくりの作風の広告コンテンツを作り出してしまったら、自分は用済みになることを恐れるかもしれないし、また、その生成ＡＩから得られる利益が全て会社のものになってしまうのも納得がいかないかもしれない。さらには、クリエイターが、生成ＡＩの作品をベースに制作を進めることが習慣化することで、徐々に集団全体でのクリエイティビティが失われていき、気がつけば会社の一番の強みであった個々の才能が凡庸化してしまうかもしれない。

このように、ファインチューニングを行う際には、考えなければならないリスクが大幅に増える。そのため、部門間のより密接な連携と、委託先の管理、そして、システム全体のリスクに対する継続的なモニタリングが必要になる。

経営層（外ループ）としては、こうした事情を考慮して組織体制を構築していく必要がある。各部門から人材を集めて、ファインチューニングに特化したチームを作ることも考えられるだろう。また、クリエイターなど社内のステークホルダーとの対話や、委託先とのミッションやビジョンの共有、そして一般社会とのコミュニケーションができる体制の構築も重要だ。

新たなモデルから得られる利益と、諸々のリスクとを考慮して、プロジェクトを実施・継続するかを決定するのも経営層だ。とはいえ、ＡＩプロジェクトの場合、やってみないと分からないことが山ほどある。そのため、常に最新の情報を集められる体制と組織文化のアップデート（とりわけ、担当者が言いにくいことも自由に言える「心理的安全性」の確保）が必要になる。

他方、現場の担当者（内ループ）としては、ステークホルダーからの意見を踏まえ、柔軟に他の部門や委託先と連携しながら各自の専門性を発揮し、それぞれのリスクを評価し、対策を検討し、それを経営層に報告することが求められる。

（３）第三段階（ファインチューニングモデルの外部ライセンス）

このように、第二段階でも十分に複雑な状況が生じるが、ファインチューニングモデルを第三者（強大社）にも利用させる場合には、さらにリスクの予見が困難になる。この段階では、イケテル社は「ユーザーが何をしでかすか分からない」というリスクを抱えることになるのだ。その立場は、基盤モデルを提供するオープン社のそれに一歩近づく。

これまでは、いくら生成ＡＩがおかしな出力をしても、それを社内のクリエイターが却下したり修正したりしていたし、最終的には品質管理部門や知財部門、法務・コンプライアンス部門などが法的・倫理的リスクを確認することもできた。しかし、生成ＡＩを外部に開放してしまうと、それらのコントロールが利かなくなるのだ。もちろん、強大社がイケテル社以上にガバナンス体制のしっかりした組織であり、様々なリスクに対応できるというのであればよいのだが、必ずしもそうとは限らない。イケテル社としては、ユーザーマニュアルや利用上の目的・ルールを明確にし、生成物に対して強大社が責任をもって法令上・倫理上の管理を行うことや、生成物に対して第三者が著作権侵害を主張してきたときは、強大社で対応を行うことなどを前もって決めておく必要があるだろう。

第三者にモデルを使用させる場合は、セキュリティ上のリスクもある。たとえば、強大社が、生成ＡＩのプロンプトを操作することで、イケテル社の学習データやＡＩモデルをコピーできてしまうかもしれない。このようなことは、たとえ契約書で禁止しても、実際に確認できないと意味がない。そこで、強大社の出力について、必要に応じてイケテル社がモニタリングできるという条件も明記したいところだ。

強大社以外の様々なデザイン企業にも生成ＡＩを利用させる場合には、利用によるリスクが一層読みにくくなるので、モデル自体が不適切なコンテンツを出力しないような技術上の対応をよりしっかりと行っておく必要がある。この段階では、自社の生成ＡＩモデルについて、外部監査を受けたり保険を掛けたりすることも検討に値する。

経営層としては、各担当部門がこれらのリスク全体を適切に対応できるような組織体制を考える必要がある。生成ＡＩに特化した部門を作り、そこに技術、品質、法務、コンプライアンス、モニタリング、ステークホルダーコミュニケーションなどの機能を集中させることもあり得る。実際にどのようなメンバーが必要かについては、現場の声を汲んで柔軟に対応すべきだ。

他方、現場の担当者（内ループ）においても、より緊密な情報の連携が必要だ。各リスクに対応する評価指標や、対応の方法（技術的措置か、契約での責任移転か、利用料を上げてリスクを吸収するか等）については、縦割り部門の知見だけでは決められない。「生成ＡＩチーム」としての一体的な対応が求められるのだ。

5. 最適なAIシステムのガバナンスをどう促すか？

各主体がこのように適切なＡＩシステムのガバナンスを実施できていれば、社会全体に

「責任あるＡＩ」が実装されることになるだろう。しかし、現実はそう簡単ではない。本章で紹介したような二重のループや影響評価を行うためには、多くの時間的・金銭的コストがかかる。さらに、データやアルゴリズムは随時更新されていくため、ガバナンスのプロセスは一度やれば終わりではなく、継続的に行わなければならない。また、各主体が適切なガバナンスを行っているかどうかについては、外部から容易に判断できるわけではない。そうなると、各主体がＡＩシステムのガバナンスを行うためには、強力な動機付けが必要となる。

ここで、我々の考える「ガバナンス」のレベルを切り替えよう。これまでは、画像認識サービスや生成ＡＩサービスなどの「ＡＩシステムのガバナンス」について語ってきた。しかし、それを実効化するためには、各主体が適切にＡＩシステムのガバナンスを実施するためのインセンティブ設計や、ガバナンスのプロセスに関する合意形成を社会の中で行っていくことが必要だ。それが、本書で「ＡＩ社会のガバナンス」と呼ぶものだ。様々な制度を組み合わせてイノベーションの恩恵と信頼を両立させることが社会にとって必要であり、その道筋を示すことが本書の最終的な目標でもある。

現在、この点について、世界各国で様々な政策が形成されている。その中には、ＡＩ全体に対する規制を課そうとする国もあれば、基本的には市場や社会の評価に委ね、拘束力のないガイダンスによって指針を示すアプローチを採る国もある。そこで次章では、そのような

ＡＩを巡る制度に関する世界の動向をみていこう。

第5章
AIガバナンスの世界動向

本章では、ＡＩガバナンスに関する世界各国の動きを紹介していく。ただし、各国の制度は今まさに動いている。本書では、できるだけ時の経過に左右されない内容を取り上げているつもりだが、本章については、そう遠くないうちに古くなってしまうだろう。以下の情報は、あくまで二〇二三年一一月時点の状況を整理したものであり、最新の情報については各国の政府機関のウェブサイトや信頼できるメディアをご参照いただきたい。

1．AIガバナンスの歴史

各国の動きに入る前に、まずはこれまでの世界的な潮流について解説しよう。実は、本書のこれまでの内容は、ＡＩガバナンスの議論が辿ってきた歴史と一致している。そのため、以下の内容は第4章までの振り返りでもある。

二〇一二年にディープラーニングが飛躍的発展を遂げてから数年のうちに、AIは社会の様々なサービスに実装されるようになった。これに伴って、第1章で紹介したような様々なAIリスクが明らかになった。二〇一五年には、グーグルのアルゴリズムがアフリカ系女性をゴリラと判定してしまったことがセンセーショナルに報じられた。翌二〇一六年には、英国のEU離脱（ブレグジット）の決定やトランプ米大統領の当選といった政治的なサプライズが続いたが、その原因として、クリック数を稼ぐためにユーザーの意見を分断するソーシャルメディアのアルゴリズムの存在が指摘された。テスラの自動運転車が初めて人身事故を起こしてしまったのも、同じ二〇一六年だ。二〇一八年には、アルゴリズムによる差別を解消できないとして、アマゾンが社員の採用においてAIの使用を停止したことが話題となった。

こうした様々なAIのリスクを受けて、二〇一六年から二〇二〇年頃にかけて、日本やEUを含む世界各国の政府や、OECDなどの国際機関、非営利団体や企業などが続々と、AIに関するポリシーや原則を公表した。それらの総数は、公表されているだけでも六〇〇以上にのぼるともいわれる。そこで挙げられている要素は、第3章で述べたような人権や民主主義などの基本的価値や、公平性、プライバシー、セキュリティといったAI原則だ。細かな整理の仕方や対象範囲は異なるものの、大枠については民主的国家の間で認識が一致しているといってよい。

とはいえ、基本的価値やAI原則は非常に抽象的な理念であるため、これらを実際のAIシステムに落とし込むためのガイダンスが必要となる。日本では、二〇一九年に総務省から「AI利活用ガイドライン」が、二〇二〇年に産業技術総合研究所から「機械学習品質マネジメントガイドライン」が、二〇二一年に経済産業省から「AI原則実践のためのガバナンス・ガイドライン」が公表された。国際標準化機構（ISO）からも、二〇二〇年以降、次々とAIのガバナンスに関する国際規格が発行されている。二〇二三年には、米国の国立標準技術研究所（NIST）による「AIリスクマネジメントフレームワーク」や、英国のアラン・チューリング研究所による「AIシステムのための人権・民主主義・法の支配に関する信頼確保枠組」（HUDERAF）も公表された。これらに共通するリスクマネジメントの枠組みやプロセスについては、第4章で説明したとおりだ。

こうしたガイダンスは、法的な拘束力を持たないものだが、リスクの高いAIについては、より強力なルールを課す必要がある。拘束力をもつ法規制だ。自動車の運転や医療行為、法律のアドバイスなど、人間が行う場合に規制がかかる行為をAIが代替する場合には、基本的に何らかの規制が必要となるだろう。しかし、問題はその先にある。AIがそのような規制された行為を代替する場合に、人間に対する規制をそのまま適用できるのだろうか（たとえば、自動運転車に、人間と同じ運転免許試験を受けさせることは合理的だろうか）。人間がＡＩを単なる補助ツールとして使うのであれば、新たな規制は不要だろうか（たとえば、医師が画像診断ＡＩを使って病気を診断する場合、最終的に医師が判断するのであればＡＩに関する規制は不要だろうか）。また、人間の場合は規制されていないのに、ＡＩが行う場合には特に規制すべき行為はあるのだろうか（たとえば、人間が日常会話の中で嘘をつくことは規制されないが、ＣｈａｔＧＰＴのような大規模言語モデルが嘘をついてしまうことは規制すべきだろうか）。こうした論点について、世界の政策決定者たちが頭を悩ませている。以下では、現在進行形の世界の状況を紹介しよう。

2. 日本

（1）ＡＩの開発と利用を促す前向きなルール作り

ＣｈａｔＧＰＴの最新モデルであるＧＰＴ‐４が世界を席巻した後、OpenAI社のサム・

アルトマンCEOが最初に外遊した国は日本だった。日本が選ばれた理由としては、欧州などと比べると生成AIに対する警戒が少なく、むしろ積極的な活用事例が早い段階から紹介されていたという事情があるともいわれている。日本は深刻な働き手不足の問題を抱えており、AIを活用するニーズが大きい。また、幼いころから鉄腕アトムやドラえもんに親しんでおり、人格をもったマシンが人間と生活するという考え方に違和感がないという文化的背景もある。なお、この点について、海外ではターミネーターや『二〇〇一年宇宙の旅』のHAL9000など、ロボットが人間への脅威として描かれると指摘されることもあるが、それは少し言い過ぎだと思う。スターウォーズのR2-D2／C-3POや、スタートレックのデータ少佐のように、人間を助けるロボットの例はいくらでもある。ただし、これらは基本的には感情を欠いていたり合理的な判断しかしないなど、「温かみ」に欠ける描写が多く、アトムやドラえもんのように、人間と同じような人格として扱われることは少ないということだ。

話が少し逸れてしまったが、日本では今のところ、AIを包括的に規制しようとする動きはない。政府のAI戦略会議が二〇二三年五月に公表した「AIに関する暫定的な論点整理」でも、まずは既存の法令・ガイドラインの遵守を促しつつ、それでは対処できない場合にのみ、柔軟な規制を検討する方針が示されている。

このような方針を指して、「日本はＡＩを規制しない」とか「日本は法的拘束力のないソフトローのアプローチを採っている」といわれることもあるが、これはあまり正確な表現ではない。あくまでも、現時点で（次に述べるＥＵとは異なり）ＡＩを包括的に規制するような法律を作らない、という話だ。ＡＩの学習に用いるデータの取り扱いや、リスクの高い業務における安全性の確保などにおいて、既存の法律が問題となる場面は多く、各方面でＡＩの活用を見込んだ法改正も進んでいる。

日本の政策の特徴を端的にいえば、ＡＩの使用を規制するよりも、むしろＡＩの研究開発を行いやすくしたり、規制分野でＡＩを利用しやすくしたりする方向でのルール作りの努力を続けていることだ。以下では、特に重要なものを紹介しよう。

(2) AIに関する主な法律

a. データに関する法律

(i) 個人情報保護法

ＡＩモデルを開発したりチューニングしたりするためにはデータが必要だが、その中には個人情報が含まれており、個人情報保護法が適用される場面が多い。同法が定める「個人情報」の範囲は広く、生存する特定の個人を識別できる情報全般をいう（他の情報と容易に照合して識別できる場合も含む)。つまり、住所・氏名や顔写真のような、それだけでどこの誰かが特定できるような情報だけが個人情報なのではない。暗号化されていても個人情報にあたるし、氏名や住所を消して匿名IDにしたデータであっても、その匿名IDと本人の情報を紐づけるリストが手元にあるのであれば個人情報となる。仮にそのようなリストがないとしても、匿名ID以外の情報(たとえば、スマートフォンのGPSから取った移動データ)から本人を特定できるのであれば、やはり個人情報にあたってしまう。

そして、このような個人情報をAIの学習に使う場合には、原則として、個人情報の利用目的の特定と通知・公表、個人情報の適正な取得、利用目的の範囲内での利用、第三者への提供の制約、安全管理に関する措置など、様々な義務がかかってくる。もっとも、あらゆる場面でこれらの義務がかかると、AI開発事業者などへの負担が重く、イノベーションに悪影響を及ぼしてしまう。そこで、個人情報保護法には、データの利活用を促進するための規定も置かれている。まず、特定の個人を識別できず、かつ復元もできないように加工した情報は、「匿名加工情報」と呼ばれ、個人情報の範囲に含まれない。ただし、匿名加工を行うためには多くの情報を削除しなければならず、それによってAIの精度が落ちてしまう場面も多い。そこで、他の情報と照合しない限りは特定の個人を識別することができないように加工した、「仮名(かめい)加工情報」というカテゴリーも設けられている。仮名加工情報は、その利用目的を自由に変更できるので、たとえば会員情報管理のために取得した個人情報について、仮名加工した上で利用目的を変更し、ＡＩ学習のために使うといったことも可能となる。そのほかにも、学術研究目的での個人情報の利用を容易にするルールや、医療分野での匿名加工情報や仮名加工情報の二次利用を促進する次世代医療基盤法など、様々な情報利活用ルールが定められている。もっとも、このような例外規定が適用されるためには、加工の方法や情報開示、安全管理措置などに関して厳格な要件が課されるので、誰もが簡単に活用できるわけではない。

個人情報保護法が適用されるのは、ＡＩを学習させる段階だけではなく、ＡＩを使ったサービスを提供する段階も同様だ。たとえば、企業がＣｈａｔＧＰＴを組み込んだチャットボットのサービスを提供する場合、ユーザーがチャットボットに入力する情報に個人情報が含まれるのであれば、取得や利用目的に関する規制がかかるだろう。また、そのデータが海外の事業者に転送される場合は、より厳しい制約が課されることになる。

（ⅱ）不正競争防止法（限定提供データ）

不正競争防止法とは、営業秘密の侵害やコピー商品の販売などを規制する法律だ。データやアルゴリズムが営業秘密に該当すれば、これを不正に取得したり開示したりする行為が損害賠償請求や差止請求の対象となり、刑事罰が科される場合もある。

この不正競争防止法が二〇一八年に改正され、新たに「限定提供データ」を保護する規定が盛り込まれた。限定提供データとは、有料で販売される地図データや機械の稼働データ、人流データのような、共有することで価値創出につながるようなデータセットのことだ。このようなデータセットは、「営業秘密」にはあたらず（他者と共有するものなので、秘密とはいえないからだ）、これまでは十分な法的保護が与えられてこなかった。しかし、それでは異なる企業間でデータを共有するインセンティブが削がれてしまう。そこで、一定の要件を満たしたデータセットを保護し、これを不正に取得したり使用したりする行為を損害賠償請求や差止請求の対象としたのだ。こうした規定は当時としては世界初の規定であり、データの利活用を後押しすることが期待されている。

（iii）著作権法

第1章でも触れたが、著作権とは、思想または感情を創作的に表現したものであって、文芸、学術、美術または音楽の範囲に属するもの（著作物）に生じる権利だ。地形データ、機械の稼働データ、人流データなどの客観的なデータは、思想や感情などを創作的に表現したものではないので、基本的に著作物にあたらない。

他方で、画像認識ＡＩを訓練するための画像データや、大規模言語モデルを訓練するためのテキストデータの中には、著作権で保護されているコンテンツも多いだろう。また、名簿などの客観的なデータセットであっても、その編集の仕方自体に創作性がある場合には、データベースの著作物として保護されることもある。そして、著作物を利用するためには、原則として著作権者のライセンスが必要だ。しかし、ＡＩを開発する際に、全てのデータについて著作権者のライセンスを受けるのには多大なコストがかかる。それでは、こうした著作物をＡＩの学習に用いることは難しいのだろうか。

この点について、日本は二〇一七年に、世界に類を見ない画期的な法改正をした。ＡＩに学習させるために、著作物のデータをインターネットから自動的にダウンロードしたり加工したりする場合など、人間が著作物の表現を享受しないまま著作物を利用する場合には、原則として著作権の侵害にあたらないと定めたのだ（ただし、著作権者の利益を不当に害する場合はこの限りでない。また、著作権者がそのような利用を禁止することも可能だ）。海外では、ＡＩが著作権で保護されたデータから学習したのかどうかが問題とされるが、日本ではそのような心配をしなくてもよい場面が多いということだ。これをもって、日本が「機械学習天国」と呼ばれることもある。

もっとも、これはあくまでＡＩに学習させる段階での話だ。第１章で述べたように、生成

ＡＩの出力が既存の著作物に類似している場合に著作権侵害にあたるのかどうかについては、ＡＩが既存の著作物に「依拠」するとはどういうことかという解釈などを巡って、現在様々な議論がなされている。

(iv) 契約による権利義務の設定

以上はいずれも、好むと好まざるとにかかわらず適用される法律上のルールだったが、それだけでデータに関する権利や責任が全て決まるわけではない。法律で決まらない部分や、法律があったとしてもそれを上書きしてよい部分については、当事者間の契約で決まることになる。たとえば、データの品質の保証、ＡＩが相手方や第三者の権利・利益を侵害した際の責任、ＡＩからもたらされる利益の分配などについて、ＡＩ開発者、ＡＩ提供者、ＡＩ利用者などの間で契約による合意がなされることが一般的だ。ただし合意といっても、必ずしも対等な当事者間で交渉がなされるわけではなく、サービスを提供する側が一方的に決めた利用規約によってその内容が決まることも多い。

データの取引やＡＩの開発を巡る契約は、形ある物の取引や人間の指示通りに動く予測可能なシステムの開発と性質が異なることから、従来通りの契約内容ではうまくいかないことが多い。そのため、政府が「ＡＩ・データの利用に関する契約ガイドライン」を策定し、契約雛形やその詳細な解説を公表している。

b．規制分野でのＡＩの活用

ここまで説明してきたのは、ＡＩにデータを学習させたり入出力したりすることが法的に問題ないのかということだ。それでは、ＡＩがそのようなデータに関する問題をクリアできたとして、それをリスクの高い用途に使うことに問題はないだろうか。リスクの高い用途の典型は、人間が行う場合に規制対象となっている行為だ。つまり、法律で規制されている行為の一部または全部をＡＩで代替することが可能か、可能だとしてどのようなルールが適用されるのか、ということを考えなければならない。この点についても、日本はＡＩの活用に前向きな立法や検討を行っている。

自動運転については、二〇二三年四月に改正道路交通法が施行された。これによって、都道府県公安委員会の許可を受けた事業者が、特定の条件下で、人間が監視したり操作を代わったりする必要のない完全自動運転を行うことが可能になった。従来の自動車の運転に関するルールには、運転する「人間」のルール（道路交通法）と、運転される「車両」のルール（道路運送車両法）がある。しかし、自動運転の世界では、車を運転するのは「人間」ではなく「車両」の方になるため、これまで人間が担っていた運転時の義務は、車両に搭載された自動運転システムの保安基準に置き換えられる。また、事故や誤作動があったときに後から自動運転システムの作動状態を記録できるように、作動状態を記録する装置の設置も義務付けられる。これらを含む様々な基準をクリアした自動運転システムに、型式認証（人間でいうところの運転免許）が与えられる。

金融分野においては、クレジット会社に適用される割賦販売法が二〇二一年に改正された。クレジットカードの与信額を審査する際、従来は、年収や家族構成などを考慮した決められた計算式を使う必要があったが、この改正によって、認定を受けたクレジット会社が、アルゴリズムを使って与信額を判断することができるようになった。別の例として、金融商品取引法の改正によって、アルゴリズム高速取引を行う事業者が登録制とされ、リスク管理体制の整備や取引記録の作成・保存等を義務付けられることになった。登録などの義務がかかってくる点ではＡＩの利用に対する規制ともいえるが、アルゴリズム取引が予期せぬ動きによって相場に影響を与える事件が過去に何度もあったため、そうした事態を予防しつつも、高速取引を禁止するのではなく、問題発生時の原因究明に役立つように記録の保存などを義務付けたものだ。

法務の分野でもＡＩの活用は進んでいる。昨今では、ＡＩが契約書の内容をチェックしたり契約書をドラフトしたりする「リーガルテック」と呼ばれるサービスが様々な企業によって提供されている。しかし、弁護士でない者が、報酬を得る目的で法律事務を取り扱うことは「非弁行為」といわれ、弁護士法で禁じられている。リーガルテック企業は弁護士法人ではないので、有償でＡＩサービスを提供することが法律違反となる可能性が指摘されていたのだ。これに対して、弁護士法を所管する法務省が二〇二三年八月に指針を出し、現在提供されている契約作成・契約レビューサービスなどの主な機能が弁護士法に違反しないことを確認した。

医療の場面でも、ＡＩを使った画像診断ソフトなどを早期承認する制度が検討されている。医師の診察を手助けするＡＩなどのシステムは「プログラム医療機器（ＳａＭＤ）」と呼ばれており、医薬品医療機器法が定める承認手続が必要だ。そのためには、治験や審査に五年以上かかることもあるが、これを開発から一年以内に販売できるようにする制度改正が検討されている。その際、ＡＩが、現場で使われた後も随時アップデートされていくことを踏まえ、まずは最低限の審査でいったん販売を許可し、使用後のデータから再度承認できるかどうかを判断する二段階の制度が検討されている。

以上の例は、いずれも分野ごとの個別の規制の改正や解釈の明確化であったが、分野横断的にＡＩによる代替が期待される分野が存在する。それが、「アナログ規制」と呼ばれるものだ。たとえば、目視義務、実地監査義務、定期検査義務、常駐規制など、アナログな方法でのコンプライアンスを定めた法令や通達は一万以上にのぼるといわれている。これらは、機械が人間以上の精度で点検や安全確保ができない時代に作られたものだが、現在では、特定の業務について人間よりも精度の高い画像認識ＡＩやリスク判定ＡＩが存在するため、実施の主体を人間に限定する意義は乏しい。そこで、これらを一括して改正する取組みが、政府のデジタル臨時行政調査会で行われ、二〇二三年六月には「デジタル手続法」が成立した。一〇月には、これらのアナログ規制に代わる技術を掲載したテクノロジーマップも公表された。このようなアナログ規制の廃止は社会のデジタル化に必須だが、他方で、どのようなＡＩシステムであれば人間を代替してよいかを決める方法は未解決だ。基本的には、そのシステムに対して第4章で述べたようなリスクマネジメントや情報開示が実践されているかが大きなポイントになるだろう。この点については、第6章で改めて検討したい。

c．損害賠償責任

ＡＩシステムによって個人に関する偽情報を拡散されたり、雇用における差別を受けたりして、精神的または肉体的な損害を受けた場合には、被害者がＡＩシステムの開発者やＡＩサービスの提供者に対して損害賠償請求をすることが考えられる。このような「不法行為」について定める民法第七〇九条は、「故意又は過失によって他人の権利又は法律上保護される利益を侵害した者は、これによって生じた損害を賠償する責任を負う」と定めている。これは「過失責任」という考え方を採用しているもので、加害者は、故意か過失があった場合にのみ損害賠償責任を負う。ここでの「過失」とは、標準的な人であれば結果の発生を予見し、その発生を回避するために適切な措置をとるべき注意義務があるのに、これを怠ったことだと解釈されている。つまり、通常予見できない損害や、予見できたとしても回避できない場合については、損害賠償責任を負わないということだ。その上で、損害の発生に複数の主体が関与している場合は、寄与した部分に応じて連帯責任を負う。被害者にも落ち度があれば、その分は損害賠償額が減額される。

AIの文脈で、このような不法行為責任についてどのように考えればよいかについては様々な課題がある。まず、AIは統計的な確率に従って動くもので、人間が完全にコントロールできるものではない。誰にもその挙動が予測できない中で、予見や結果回避に関する注意義務をどのように決めればよいのだろうか。また、AIサービスにはデータの提供者、AIモデルの開発者、AIサービスの提供者、AIの利用者など、様々な主体が関与している。そして、AIがおかしな挙動をしたときに、その原因がデータにあるのかモデルにあるのかユーザーの使用方法にあるのかを究明することも難しい。その場合に、各主体の寄与度がどれくらいかを、どのように判断すればよいのだろうか。これらは多くの専門家の間で議論が交わされているが、未解決の問題だ。

なお、工業製品や加工食品などの製造物については、製造物責任法という法律が適用される。これは、製品に欠陥があった場合に、消費者が製造者の過失まで証明することが困難なので、過失を証明しなくても損害賠償を受けられるようにしたものだ。ただし、これは形のある物についてだけ適用される法律だ。したがって、自律移動ロボットや自律飛行ドローンなどハードウェアとソフトウェアが一体化した物については適用されるが、形のないソフトウェアには適用されない。また、仮に適用されるとしても、確率的な判断しか下さないＡＩについてどういう場合に「欠陥」があるといえるかは明らかでない。さらに、先に述べたような、損害に対する最終的な寄与度をどう判断するかという問題も残る。

自動車が起こす他人への人身事故については、自動車損害賠償保障法（自賠責法）が適用され、車の運転者や所有者などの運行供用者が原則として責任を負うことになる。そして、実際の賠償は、強制加入の自賠責保険によって支払われる。しかし、もはや運転者というより乗客の立場に近い運行供用者に、保険料の形で強制的な負担を求めることは妥当だろうか。どのみち車の所有者などが保険料を負担してくれるのであれば、メーカーには安全設計に関するインセンティブが十分に働かなくなることは考えられないだろうか。また、地図情報やインフラ情報等の外部データや、通信遮断等により事故が発生した場合にも、運行供用者が責任を負うべきだろうか。このような点については、政府内でも検討が行われ、過渡期的な対応として現状制度の維持の方針が示されているが、今後本格的に検討を加える必要があるだろう。

d．公正競争に関する法律

公正な競争環境の確保は、健全な経済成長のために欠かせない。第1章や第2章で述べたように、ＡＩとの関係では、①ＡＩ自体が競争を歪めるツールとして利用される問題と、②強力なＡＩをもつ一部の事業者に支配的な力が集中してしまい、そこから競争の歪みが生じるという問題が指摘されてきた。公正取引委員会でも、これらの点について検討がなされ、結論として直ちに法律改正をするという話にはならなかったものの、まずは既存の法律の枠内で状況を注視していくこととされた。

②の点に関して、ＡＩの力で強大化したデジタルプラットフォームに対する規律として、二〇二〇年に、デジタルプラットフォーム取引透明化法という法律が制定された。これは、オンラインモール、アプリストア、デジタル広告などの事業を営む強力なデジタルプラットフォーム提供者に対し、取引先（オンラインショップやアプリ開発者、広告主など）との取引条件等の情報の開示や公正性確保、運営状況の報告などを義務付けるものだ。ＡＩに関係

するものとしては、検索順位を決定するために用いる主要な事項の開示が義務付けられている。また、プラットフォーム事業者がこれらの取組みに対する報告書を国に提出し、専門家が評価して結果を公表するという仕組みも盛り込まれている。どのような取引や運用を実施するかはデジタルプラットフォーム事業者の判断に委ねつつ、透明性を確保し、最終的には専門家が評価するというアプローチは、これまでにない新しいタイプの規制といえるだろう。

3. EU

(1) 厳格なルール作りと「ブリュッセル効果」

「我々は、ヨーロッパだけでなく世界全体にとって、デジタル社会における輝かしいランドマークとなる法律を打ち立てようとしている」。二〇二三年六月、欧州議会のブランド・ベニフェイ議員は、AI法案の採決に先立ち高らかに宣言した。

「ブリュッセル効果」という言葉をご存じだろうか。ブリュッセルはベルギーの首都で、EUの本部が置かれている場所だ。ブリュッセル効果とは、EUが制定した法律が、事実上、全世界の標準ルールとなる現象をいう。

　ＥＵは二七の加盟国で構成されており、国民総所得は全世界の二〇％を占める。そのうえ、ＥＵの法律には、ＥＵ域内の事業者だけでなく、ＥＵ市民にサービスを提供する外国事業者（たとえば、フランスやドイツのユーザーにサービスを提供する日本企業など）に適用されるものも多い。すると、ＥＵ域内のみならず、ＥＵ企業やＥＵ市民と取引をしたい全世界の事業者が、ＥＵの法律に従うことになる。そうなると、そのようなＥＵ域外の事業者にとっては、自国のルールもＥＵと揃っていた方が、国によっていちいち対応を変えなくてよいので望ましい。こうして、全世界のルールがＥＵによって主導される「ブリュッセル効果」が波及するというわけだ。

　ブリュッセル効果は、消費者保護、環境、公正競争など様々な分野に及んでおり、デジタル経済についてもその例外ではない。代表的なものが、個人データの保護に関する一般データ保護規則（ＧＤＰＲ）だ。ＧＤＰＲでは、個人データを取得する際の本人からの同意に関する条件や、本人によるアクセス、訂正、削除の権利など、厳格なルールが定められている。そして、現在では、米国の複数の州や、日本や韓国を含むアジア諸国、そしてアフリカや南米の諸国に至るまで、多くの国が類似のルールを導入している。中国も、少なくとも文面上はＧＤＰＲによく似た個人情報保護法をもっている。

ＡＩについても、ＥＵの積極的な姿勢はしっかりと示されている。欧州委員会のフォンデアライエン委員長は、二〇二三年九月に行った一般教書演説の中で、「ＡＩによる人類絶滅のリスクを軽減することは、パンデミックや核戦争といった他の社会的規模のリスクと並ぶ、世界的な優先事項であるべきだ」とまで述べた。そのようなＥＵによるＡＩガバナンス施策の代表格が、本書刊行直後に合意の成立が見込まれている「ＡＩ法案」だ。

(2) AI法案

欧州委員会は、二〇二一年四月に、ＡＩ法（Artificial Intelligence Act）の原案を公表した。これは、ディープラーニングに限らない幅広い人工知能を、あらゆる分野において包括的に規制対象とするものだ。

ＡＩ法案では、ＡＩのリスクレベルを「禁止」「ハイリスク」「中間的リスク」「低リスク」の四段階にランク付けする。「禁止」カテゴリーとは、文字通りそのような用途にＡＩを使ってはいけないという意味だ。禁止されるＡＩとしては、公的機関による社会的スコアリングや、法執行目的でのリアルタイムな生体識別、子供や障がい者などの脆弱性の利用、無意識的に人々の行動を誘導するサブリミナルな利用などが挙げられている。

「ハイリスク」ＡＩは、禁止はされないものの、使用する際には厳しい義務がかかってくる。

ハイリスクＡＩの範囲は広く、欧州委員会の草案によれば、医療機器など既に規制で認証の対象となっているＡＩ、民間企業による自然人の遠隔生体識別、交通や電気水道などのインフラの管理、入学や採用での採点や、従業員の評価、ローン審査における信用スコアリング、犯罪予測などの利用が含まれている。ハイリスクに該当したＡＩには、リスクマネジメントプロセスを確立して実装する義務や、自動的に作動記録を取る義務、透明性に関する義務、サイバーセキュリティに関する義務、そして人間による監視の義務などが課される。ＡＩシステムの提供者は、システムがこれらの要件を満たすことについて適合性評価を行う必要があり、生体識別システムなどについては、第三者からそのような評価を受ける必要がある。

「中間的リスク」のＡＩには、チャットボットやディープフェイクに関する技術などが含まれる（ただし、これは生成ＡＩが世界的に注目を集める前に作られた法案段階での整理だ）。これらについては、ハイリスクのような厳格な義務は課されないが、ＡＩを使用したシステムであることを通知するなどの透明性に関する義務が課される。

最後の「低リスク」については強制的な義務はないが、ポリシーの策定や適切なリスクマネジメントの実践が推奨されている。

ＡＩ法は、成立すれば世界で初めてＡＩを包括的に規制する法律となる。制裁金も莫大で、最大でその企業の年間世界売上額の七％にものぼる。しかし、その内容を懸念する声も少なくない。ＡＩ法は、ＡＩを四段階のリスクに区分しており、このことを「リスクベースアプローチ」と呼んでいる。しかし、我々が第1章からみてきたように、ＡＩリスクには計測困難なものも含め様々な性質と原因のものがある。その一つひとつを細かく分析して具体的な対応を決めることが本当の意味での「リスクベース」ではないだろうか。たとえば、警察などによる監視カメラのリアルタイムでの分析は、プライバシーへの懸念から禁止対象となっているが、それができることで社会にもたらされる治安向上という効果や、技術的な手法によるプライバシーリスクの軽減なども考えて、慎重な費用便益分析をすることが重要だろう。

また、ハイリスクＡＩについては、人間による監視が義務付けられているが、これについても、人間が何をどこまで監視し、責任を負うのかを詳細に検討する必要がある。そもそも、人間がアルゴリズムよりも適切な判断ができる保証はない。たとえば、消費者向けのローンの審査において、アルゴリズムは一〇〇万円の融資が可能と判断したが、これまで会社で使っていた計算式によれば五〇万円までしか融資できないとした場合、担当者は「人間の判断」として五〇万円までに限定して融資すべきなのだろうか（そうだとすれば、ＡＩを使う意味はないのではないか）。あるいは、決められた計算式はないが、担当者が経験的にやめておいた方がよさそうだと考える場合はどうだろうか。この場合、機械の判断も人間の判断もブラックボックスだが、人間の判断を優先すべきとする合理的な理由はあるのだろうか。

欧州議会の代表団が京都大学法政策共同研究センターを訪れ、筆者らと意見交換した際の様子（2023年5月）

なんとなく嫌な予感はしたがＡＩの提案に従って一〇〇万円を融資し、結局返済されなかった場合、担当者は責任を取らなければならないのだろうか。こうした問題は、人間による監視を義務付ける際に避けて通ることができないが、解決の方向性はまだ不明確だ。

これ以外にも、ハイリスクＡＩに求められるリスクマネジメントの内容や、透明性に関する説明事項など、ＡＩ法の執行には様々な未解決の問題がある。これらに関する詳細の一部は、ＥＵの標準化団体などが作る規格に記載されることになる。ＡＩ法の施行は、二〇二五年頃といわれており、それまでにどのようなルールの明確化がなされるかに注目だ。

（3）データに関する法律

a．一般データ保護規則（GDPR）

EUの個人データ保護法であるGDPRについては、日本語でも多くの解説書が出ているので、詳細はそちらに譲ることにして、ここではAIとの関係で特に重要となる項目についてだけ紹介しよう。それは、「アルゴリズムのみの決定による法的効果や重大な影響を受けない権利」だ。

たとえば、ローン審査や採用審査において、アルゴリズムが申請者の思い通りでない結論を出したとしても、申請者はその決定に従う必要がない。本人との契約を履行するために必要な場合や、本人の明示的な同意に基づいている場合などは例外とされるのだが、この場合にも、申請者には、データ管理者に対して人間によるチェックを行うよう求める権利や、自己の意見を表明する権利、および決定に異議を唱える権利などが与えられる。AI法についても述べたように、EUは、AIの判断について人間が関与することを非常に重視しているのだ。

b．データ法案／データガバナンス法

GDPRは、個人データを保護することを目的とした規制だが、逆に、個人や企業がデータを利用しやすくするための法整備も進んでいる。中でもユニークなのは、「データ法案」

（Data Act）だ。スマートフォン、スマートウォッチやスマート家電などのＩｏＴデバイスから取られる位置データや稼働データは、通常、そのデバイスの提供者によって収集され管理される。しかし、これでは社会全体でのデータの利活用が進まない。そこで、データ法では、デバイスの利用者に、自身の利用によって生成されたデータへのアクセス権を与えると共に、利用者の指示によって第三者にそのデータを共有することを可能にする（ただし、競合他社の製品開発にデータを利用してはいけない、巨大なプラットフォーム企業はデータ共有先の第三者になれない、といった制約はある）。このような制度については、データの囲い込みを阻止してデータの活用やＡＩの開発を促進するものと期待される一方で、営業秘密の侵害につながるリスクも懸念されている。

データの利活用を促進するための法律としては、二〇二三年九月に適用開始された「データガバナンス法」という法律もある。公的機関が保有する営業機密、統計上の機密、知的財産権、個人データなどの法的に保護されたデータを再利用するための枠組みについて定めている。たとえば、ヘルスケアアプリを開発するメーカーが、一定の条件の下で、社会保険機関などが保有するデータにアクセスできるようになることが期待されている。そのほかにも、同法は、個人や企業とデータ利用者をつなぐ中立的なデータ仲介サービスが果たすべき義務などについても規定している。

（4）デジタルプラットフォームに対する規制

　EUでは、デジタルプラットフォームに対する規制も積極的に行っている。ここでは、アルゴリズムに関する新しい規制を二つ紹介しよう。

　一つめは、「デジタルサービス法」だ。これは、投稿されたコンテンツ等に関するデジタルプラットフォームの責任や、透明で安全なオンライン環境の実現に向けた義務を定めたものだ。その中で、大規模なデジタルプラットフォームは、レコメンド機能やオンライン広告に関するパラメータなどについて開示する義務を課されている。

　もう一つは、ゲートキーパーと呼ばれる強大なデジタルプラットフォームを対象とする「デジタル市場法」だ。多くのユーザーがゲートキーパーに依存している状況下で、ユーザーに対する不公正な行為が生じやすくなっており、また、他のプラットフォームがゲートキーパーと競争することが困難になっているという実態に対処するために制定された。その中で、検索ランキングなどにおいて、ゲートキーパー自身が提供するサービスおよび製品を第三者の同様のサービスおよび製品よりも有利に扱ってはならないことや、検索ランキングの表示にあたって、透明で公正かつ差別的でない条件を適用することなどが定められている。

（5）損害賠償責任

ＡＩ製品の欠陥から損害が発生した際、被害者が救済を受けやすくするための法律案も提案されている。それが、製造物責任指令改正案と、ＡＩ責任指令案だ。これまでに紹介したＥＵの法律（Regulation）と異なり、これらは「指令」（Directive）というタイプのルールで、ＥＵ域内で直接適用されるわけではなく、各国が指令の内容を踏まえて独自の法律を作ることになる。

これまでのＥＵの製造物責任法は、日本の製造物責任のように、形ある物にしか適用されなかったが、今回の改正案では、ソフトウェアに対しても製造物責任を適用することとしている。その上で、被害者が救済を受けやすくするように、ハイリスクＡＩの提供者などに対して裁判所が証拠提出を命令できるようにする仕組みも導入される。また、ＡＩの動きは予測不可能なので、たとえＡＩ提供者が注意義務を果たしていたとしても、どのみち損害が発生していた可能性がある。そうすると、「過失のせいで損害が発生した」という「因果関係」が立証できないことになってしまう。これだと被害者が救われないので、ＡＩの提供者に過失があった場合（たとえば、ハイリスクＡＩの提供者がＡＩ法に定められた義務を守っていなかった場合など）で、そのＡＩから損害が発生することが合理的にあり得る場合、過失からその損害が生じたという因果関係を推定できるという規定も盛り込まれた。

4. 米国

（1）テック企業と政権の歩み寄り

二〇二三年五月四日、ホワイトハウスの前に詰めかけた報道陣の前に、グーグル、マイクロソフト、OpenAI、アンスロピックという世界を代表するAI企業のCEOが続々と登場した。歴史あるルーズヴェルトルームで彼らを迎えたのは、バイデン大統領とハリス副大統領だ。大統領は、ゲストたちにこう述べた。「ご承知のとおり、AIは、社会に圧倒的な可能性とリスクをもたらすものだ。あなたたちが、この社会を守るために一番重要だと思っていることを、ぜひ我々に教えてほしい」

同年七月、先の四社にアマゾン、メタ、インフレクションAIを加えた七社が、AIの安全性・セキュリティ・信頼を確保するための自主的なコミットメントを公表した。そこでは、AIシステムに対するセキュリティテストの実施、脆弱性の発見と報告の促進、コンテンツがAIによって生成されたものであることを示す「電子透かし」の開発、差別の回避、プライバシー保護などが約束されていた。九月には、アドビ、ＩＢＭ、エヌビディア、セールスフォースなどの八社も、同様のコミットメントに加わった。一〇月には、このコミットメントを具体化するための政策を示す大統領令が下された。

いうまでもなく現在、世界のＡＩ開発と実装をリードしているのは米国の企業だ。これらの企業が提供するシステムは非常に複雑であるため、外部の人間が具体的な対処法を決めるのは困難だ。たとえば、先に紹介したコミットメントに含まれるセキュリティテストや電子透かしなどは、技術的要素と密接に関わるので、具体的にどのような対処を行うかを政府だけで決めることはできない。

それでは企業の好き勝手にできるかといえば、そうではない。テック企業のサービスは、米国内のみならず世界中で利用されており、そのため、世界中の規制当局や市民から制裁や非難の対象になるおそれがある。とりわけ、ＥＵの規制は制裁金も強烈だ。そのため、グローバル企業には、自身のＡＩサービスが基本的価値やＡＩ原則を満たしていることを説明するアカウンタビリティが強く要請される。現に、これらの企業は、積極的に透明性レポートやガバナンスプロセスを公表している。

そして、これらのノウハウを身に付けることは、ほかならぬテック企業自身の競争的優位を築くことにつながる。規制や社会的要請が厳しくなればなるほど、それを達成するためにはリソースと経験が必要になり、対応できるのは一部の巨大企業だけになっていく。さらに、企業自らがルール形成に関与できれば、それは後続企業に対する強力な参入障壁となるのだ。米国での最近の急速な官民の歩み寄りは、このようなテック企業と、テック業界への介入に積極的なバイデン政権の思惑が重なった結果として説明できる。

(2) 連邦の動き

米国は、伝統的にはテック業界に寛容だった。政府による事前統制を好む欧州や日本の文化と異なり、米国では、政府はできる限り産業に介入すべきでないという文化が根付いている。また、テック企業が勃興したシリコンバレーはワシントンから遠く離れており、政治の圧力がかかりにくかったという事情もある。「あらかじめ許可を得るより、後で許しを請う方が簡単だ」というインターネット界の格言や、かつてフェイスブック(現メタ)のマーク・ザッカーバーグCEOが放った「素早く動き、破壊せよ!」というスローガンがまかり通っていた背景には、こういう事情があった。

潮目が大きく変わったのは、ケンブリッジ・アナリティカ事件だ。選挙コンサルティング企業であるケンブリッジ・アナリティカ社が二〇一六年、フェイスブックからダウンロードされた五〇〇〇万人分のユーザー情報を用いて、トランプ氏の当選を後押しするように広告キャンペーンを打ったことが報道され、これが同氏の米大統領当選に影響したのではないかと報じられた。世界の人々をつなぐ夢のツールと思われていたソーシャルメディアが、民主主義を乗っ取るような方法で使われたことが知られると、人々のデータやAIに対する警戒は一気に強まった。二〇一八年四月には、ザッカーバーグCEOが連邦議会の公聴会に召喚され、ユーザーデータの利用や保護体制について詰問を受けた。

テック企業を取り締まる動きは、二〇二一年にバイデン政権が成立すると一層強まることになる。バイデン大統領は、競争政策当局である連邦取引委員会（FTC）の委員長に、当時まだ三二歳だったリナ・カーン氏を大抜擢した。カーン氏は、コロンビア大学の准教授で、アマゾンなどのテック企業に対する規制強化を訴える論文で一躍名を馳せていた人物だ。

AIの信頼性確保についても、バイデン政権は積極的に動いている。二〇二二年には、安全性、差別回避、セキュリティ、通知と説明、人間による判断へのアクセス確保を柱とする「AI権利章典のための青写真」を公表した。二〇二三年一月には、国立標準技術研究所（NIST）が、これまで度々触れたAIリスクマネジメントフレームワークを公表した。アカウンタビリティについては、商務省の電気通信情報局（NTIA）が、具体的なアプローチに関する意見募集を行っている。

先に述べたAI企業の自主的コミットメントや大統領令も、このような政策の流れに位置付けられる。

二〇二三年一〇月に発令された「安全、安心、信頼できる人工知能に関する大統領令」は、セキュリティと安全性、プライバシー、公平性など幅広い分野をカバーするものだ。とりわけセキュリティと安全性については、AIの潜在的リスクから国民を守るための「史上最も広範な行動を指示するもの」として、多くの施策が示されている。たとえば、国家安全保障などへのリスクをもたらす基盤モデルの開発者に対しては、敵対的チーム（レッドチーム）による安全性テストの結果を共有することなどを義務付ける方針を示している。レッドチームによるテストの基準は、NISTが開発し、重要インフラや生物化学、核、サイバーセキュリティなどのリスクへも適用される。また、ディープフェイク等への対策については、商務省が、信頼できる公式コンテンツの認証や、AIが生成したコンテンツに対する電子透かしに関するガイダンスを策定することとしている。

大統領令に対する企業の反応は様々だ。マイクロソフトのブラッド・スミス副会長が、「この大統領令は、AIのガバナンスに関する重要な一歩だ」と賛意を示す一方で、グーグルやメタ、アマゾンなどを会員とする業界団体であるNetChoiceは、「この大統領令は、官僚の気まぐれによって新規参入や競争の機会を奪い、投資を抑制するものだ」と辛らつに批判した。

いずれにせよ、こうした動きは、ＥＵでの包括的な規制強化とは異なる点に注意が必要だ。議会を通した立法によってＡＩを規制するＥＵと異なり、大統領令は行政の長による命令なので、その内容は、既存の法規制の中で実現可能なものに限られる。また、大統領令の対象は、ＥＵ法のようにＡＩ全般を対象にするものではなく、上述のようなリスクや影響の大きいＡＩを中心とするものだ。

一方の議会はといえば、今のところ目立った動きはない。連邦レベルの個人情報保護法については、二〇一〇年代後半から何度も策定の試みがなされているが、成立には至っていない。また、一定の規模の事業者に対し、自動化された意思決定のプロセスについての影響評価を行うよう求める「アルゴリズム・アカウンタビリティ法案」が二〇二二年に議会に提出されたが、こちらも成立の目途はたっていない。当面はこのように、議会ではなくホワイトハウスがＡＩ政策をリードする状況が続くだろう。

（３）州・市の動き

連邦議会が新たな動きをとれない一方で、各州や市が独自にデータやＡＩに関するルールを決める動きがみられる。プライバシーについては、カリフォルニア州が二〇二〇年に、ＧＤＰＲに似た「消費者プライバシー法」を施行した。二〇二三年には、この法律が「プライバシー権法」という新たな法律に置き換わり、より厳格な規制内容となった。

二〇一九年から二〇二〇年にかけては、約二〇の州や市が、警察当局などによる顔認識技術の使用を禁止する法律を可決した。この動きは、黒人の認識精度が低く誤認逮捕のリスクが高いことなどを理由としたもので、黒人男性が手錠をかけられた状態で白人警官に窒息死させられた「ジョージ・フロイド事件」や、その後に広がった「ブラック・ライブズ・マター」運動などによって後押しされた。しかし、現在では、こうした顔認識技術の禁止を撤回する自治体が相次いでいる。その理由としては、顔認識技術の発達により、現在では人種による精度の違いがほとんどないこと、そしてコロナ禍後の治安悪化に伴い、警察当局がAIを使うニーズが高まったことなどが挙げられる。

労働の現場でのAI利用を規制する動きもある。イリノイ州やメリーランド州では、職場の監視や採用にAIを使用することを制限している。二〇二三年八月には、ニューヨーク市が、採用AIに関する規制を施行した。この法律によれば、採用の意思決定プロセスにおいてAIを使う際には、応募者に対してその旨を通知しなければならない。また、使用されるAIについて、年に一度、独立した第三者による監査を受け、その結果を公表しなければならない。なお、監査項目は性別、人種、民族によるバイアスの有無であって、年齢や障がいの有無などは対象となっていない。

5. その他の国

日本・EU・米国以外の国でも、AIガバナンスに関する様々な検討が行われている。

(1) 英国

英国は、二〇二〇年にEUを離脱して以来、テクノロジーの規制についてEUよりも緩やかなアプローチをとってきている。AIについても同様で、今のところ、AI法のような包括的な法律を定めようという動きはない。政府は、二〇二三年三月に公表した「イノベーションを促進するためのアプローチ」という政策文書の中で、AIに対する政策の指針を示した。

そこではまず、AIについて、安全性とセキュリティ、透明性と説明可能性、公平性、アカウンタビリティとガバナンス、異議申し立て可能性と救済、という原則を提示した。そのうえで、これらの原則は直ちに法制化されるものではなく、まずは既存の規制の中で考慮されるべきだとした。

このように、英国は、いきなり新たな規制を作るのではなく、まずは最先端のＡＩがもたらすリスクを冷静に見極めるアプローチを採っている。二〇二三年一〇月に公表された「フロンティアＡＩの性能とリスク」という報告書では、フロンティアＡＩ（最先端の大規模言語モデルなど）が社会にもたらすリスクを、横断的リスク、社会的害悪、誤用・悪用リスク、制御喪失という観点から分析した。また、ＡＩガバナンスの分野で世界をリードする姿勢を見せており、一一月に英国で開催された「ＡＩ安全性サミット」には、Ｇ７国だけでなく中国やアジア、アフリカ、中東地域も含む二九か国・地域が参加した。そこでは、フロンティアＡＩによる潜在的リスクの理解やＡＩガバナンスに関する国際協力の必要性などを訴えた「ブレッチリー宣言」が合意された。

（２）カナダ

二〇二二年六月に、カナダ政府は、ＡＩに関するガバナンスと透明性に関する「ＡＩ・データ法」（ＡＩＤＡ）案を議会に提出した。この法案は、影響の大きいＡＩシステムを提供する事業者に対して、リスク評価やその軽減措置、情報開示などを行うことを義務づけている。その内容は、ＥＵのＡＩ法がハイリスクＡＩについて義務付けている内容と類似している。現在審議中であり、施行は早くても二〇二五年以降になると見込まれている。

（3）シンガポール

シンガポールは、日本や米国、英国と同様に、直ちに包括的なＡＩ規制を設けない方針だ。そのうえで、シンガポール政府は、民間事業者が参照できるような実務的なガイダンスを出している。二〇一九年には『モデルＡＩガバナンスフレームワーク』を公表し（翌年に第二版が出た）、その中で、国内外の企業によるベストプラクティスを紹介しながらＡＩガバナンスのプロセスの具体例を示した。さらに、二〇二三年六月には、個人情報保護委員会の主導で、「ＡＩベリファイ」というオープンソースのソフトウェアが公開された。これは、透明性、説明可能性、安全性などの一一の原則について、実際のＡＩシステム環境の中で技術テストとプロセスチェックを行い、レポートを作成することができるツールキットである。開発は、グーグル、メタ、マイクロソフト、アマゾンウェブサービスのようなグローバル企業や、複数のスタートアップ企業の協力の下で行われ、日立やＩＢＭなども試験運用に参加した。ＡＩガバナンスのための官民協働のシステム開発の成功例として世界的に見ても画期的なものだといえるだろう。

（4）中国

中国は、世界有数のＡＩ大国であるが、同時にＡＩに対して強力な規制を導入している国でもある。二〇二一年に制定されたレコメンド・アルゴリズムに対する規制では、アルゴリズムの提供者が利用者に多額の支出や公共の秩序を乱すような消費を促すアルゴリズムモデルを設定することを禁じた。二〇二二年には、ディープフェイクに関する規制を定め、虚偽のニュース情報を作成したり公表・発信したりすることを禁じると共に、公衆の混同や誤認を招くおそれのあるコンテンツについてラベルを表示することを求めている。二〇二三年七月には、生成ＡＩに対する規制も導入された。この規制によれば、生成ＡＩサービスの提供者は、差別の防止や知的財産・プライバシーの保護といった他国同様の原則に加え、社会主義の核心的価値観を堅持することや、コンテンツの正確性を向上させる効果的な措置を講じることなども求められる。さらに、新時代の中国の特色ある社会主義思想を宣伝するようなコンテンツが奨励されるなど、非常に独特な内容の規制となっている（なお、現在中国ではＣｈａｔＧＰＴなど欧米系の生成ＡＩへのアクセスがブロックされているため、上記の法律は、基本的に中国国内の生成ＡＩに向けられたものだ）。

6. 国際的な連携動向

以上のように、AIという革新的な技術に対する各国のガバナンスのアプローチは様々だ。しかし、AIサービスは容易に国境を越えるものであり、現に我々が日々使っているサービスの多くも外国の事業者が提供しているものだ。そのような状況で各国のルールがばらばらだと、事業者としては他国にサービスを提供する度に似たような手続きをゼロからしなければならず、多くのコストがかかる。規制当局にとっても、他国で自国と同じような規制が課されており、そこで既にひととおりテストされているAIシステムについて、再度似たようなテストをしなければならないのは、行政コストの無駄だ。そしてこれらのコストは、サービス価格や税金という形で、最終的に国民が負担することになる。信頼できるAIサービスの実装が遅れるという機会損失も生まれる。

そこで、異なる国同士で協力してルール形成をしようという動きが始まっている。

(1) G7と広島AIプロセス

G7は、カナダ、フランス、ドイツ、イタリア、日本、英国、米国という七か国の首脳会議だ（各国に加えて、ＥＵの首脳も参加する）。Ｇ20と異なり、民主的国家のみで構成されていることに特徴がある。二〇二三年の開催国は日本だった（広島サミット）。世界のリーダーたちが、広島の原爆死没者慰霊碑に揃って献花する映像を記憶されている方も多いだろう。

このＧ７では、生成ＡＩを含むＡＩの信頼確保に向けた合意がなされた。既に紹介したように、これらの国々のＡＩガバナンスに対する姿勢は、ＡＩに包括的な規制をかけるもの（ＥＵに所属するフランス・ドイツ・イタリアはこの立場だし、カナダも似た法案を審議中だ）から、新たなＡＩのリスク評価を行いつつもまずは既存の規制と拘束力のないガイダンスで様子を見るもの（日本と英国はこの立場だ）まで様々だ。それでは、これらの国がどのような共同歩調を取れるのだろうか。

Ｇ７首脳宣言の中では、これらの国がビジョンやゴールを共有すること、その一方でこれらを達成するための政策アプローチが異なることを確認している。そのうえで、ＡＩガバナンスの枠組の相互運用性（interoperability）を実現するための国際的な議論を進めることが合意されている。具体的な方法としては、第一に、ＯＥＣＤなどの国際的な組織における共通のフレームワークの開発をサポートすること、第二に、国際技術標準の策定を後押しすることが挙げられている。さらに、生成ＡＩについては、関係閣僚の協力枠組みである「広島ＡＩプロセス」の立ち上げも宣言された。これを受け、二〇二三年一〇月には、高度なＡＩ

システムを開発する組織向けの「国際指針」及び「国際行動規範」が公表された。同年内には、「広島ＡＩプロセス包括的政策枠組み」やその後の作業計画も策定される予定だ。民主主義国家の連合として、法の支配、人権、適正手続といった基本的価値にどれだけ貢献できるかがポイントとなるだろう。

（２）欧米間の協力

二〇二三年のＧ７は、日本がイニシアチブを取った場であったが、世界規模でみたときに、民主国家の二大経済圏である欧米間の連携は欠かせない。しかし、実はＥＵと米国の間には、デジタル技術のガバナンスについて大きな開きがあった。それを象徴するのが、ＥＵから米国への個人データ移転に関するいざこざだ。

もともと、ＥＵの個人データ保護指令（ＧＤＰＲの前身）では、ＥＵ市民の個人データを外国に移転することを原則として禁止していた。しかし、ＥＵと米国の「セーフハーバー協定」によって、一定の原則の遵守を確約した米国企業については、ＥＵ市民のデータを移転してよいこととされていた。ところが、二〇一三年に米国政府による大規模な監視プログラムが暴露された事件（スノーデン事件）が起きると、ＥＵの米国に対する不信感が高まっていった。そして二〇一五年には、当時学生だったオーストリア人のマックス・シュレムス氏が訴訟を起こし、欧州司法裁判所がセーフハーバー協定を無効と判断したのだ。これを受けた欧州委員会と米国政府は、二〇一六年に、より確実なデータ保護にコミットする「プライバシーシールド」協定を結んだ。ところが、このプライバシーシールド協定も、同じシュレムス氏（この時は既に弁護士として活動していた）が起こした訴訟によって、欧州司法裁判所で無効と判断されてしまった。基本的人権としてのプライバシーを重視するEUと、安全保障を重視する米国の立場の違いが鮮明に表れた事例といえるだろう。三度目の正直ということで、二〇二三年七月に、新たに「EU米国データ・プライバシー枠組」が成立し、再度EUから米国へのデータ移転が可能となった。しかし、これに対して、シュレムス氏が三度目の訴訟を提起する意向だとの報道もある。

　このようなプライバシーデータを巡る攻防と比べると、AIについては、両者はより積極的な歩み寄りの姿勢を見せているように思える。二〇二二年一二月の米国EU貿易技術評議会（TTC）では、両者の間で「信頼できるAIの開発運用に向けた共同ロードマップ」が合意された。そこでは、EUと米国のAIガバナンスに関するアプローチの違いを認めつつも、①用語と分類法の共有、②信頼できるAIのための標準とツールの開発、③AIに関する現在および将来のリスクの監視と測定、といった分野で協力を行うことが合意された。また、G7直後の二〇二三年五月には、①について、AIガバナンスに関する共通の定義が公表された。「機械学習」や「モデル訓練」といった技術用語や、「差別」や「アカウンタビリティ」といった概念に関する定義をそろえることは、相互運用可能なガバナンス枠組みを作るための第一歩であり、大きな進展だといえるだろう。また、生成AIについて、共同で行動規範を策定するという話も進んでいる。

（3）その他の国際協力

これらの国家間の協力と並行して、国際的な組織を通じた協力枠組みも構築されている。たとえば、OECDでは、世界各国のAIに関する政策文書やツールキットを紹介する「OECD・AI政策観測所」を設立したり、「AIシステムの分類に関する枠組」や「生成AIに関するG7の共通理解に向けたOECDレポート」を公表したりするなど、G7とも連携しながら情報提供や政策提言を行っている。

フランスのストラスブールに位置する欧州評議会では、「AI条約」のドラフト作業が進められている。欧州評議会は、EU（欧州連合）と名前が似ているが、実はEUよりもずっと歴史が長い別組織だ。そして、欧州評議会には日本や米国もオブザーバー国として参加している。AI条約の草案では、人権・民主主義・法の支配の尊重や、透明性・アカウンタビリティ・プライバシー、被害補償、AI影響評価など幅広い要素がカバーされているが、日本としてその交渉にどのようなポジションで臨むのかが問われている。

シンガポール、チリ、ニュージーランドが二〇二〇年に締結した、世界初のデジタル貿易に特化した通商協定「デジタル経済連携協定」（ＤＥＰＡ）は、加盟国に対し、説明可能性、透明性、公正性及び人間中心の価値観など、国際的に認められた原則やガイドラインを考慮したＡＩガバナンスの枠組みを採用する努力義務を課している。

二〇二三年一〇月には、国連にＡＩ諮問機関が設立された。また、本章５（１）で紹介した「ＡＩ安全性サミット」（二〇二三年に英国で初開催）も、先端的なＡＩのリスク評価や対応策を共有するための重要な場となっていくことだろう。

そのほかにも、ビッグテック企業を中心とする企業が支援する非営利団体のＰＡＩ（Partnership on AI）、官民国際連携組織であるＧＰＡＩ（Global Partnership on AI）、スタンフォード大学の「人間中心のＡＩ」センター（ＨＡＩ）など、産学様々な団体が、ベストプラクティスの共有や政策提言などを行っている。

第6章
ＡＩガバナンスの未来

本書ではここまで、ＡＩのリスクやＡＩシステムに対するガバナンスの手法、そしてそれを取り巻く世界のルール形成の現状をみてきた。そこでのポイントをざっくりとまとめると、こういうことだ。ＡＩのリスクは多様で制御困難かつものすごい速さで更新されている。そのため、ＡＩを開発・提供したり利用したりする組織は、適切なリスクマネジメントを継続的に行い続けなければならない。しかしこれは簡単なことではないし、時間やお金もかかる。世界の政策担当者は、そのような取組みを後押ししたりインセンティブ付けをしたりするためにどのようなルールや制度を作るべきかについて悩んでいる。そして、筆者が確信をもって言えるのは、まだ世界の誰にもその答えが分かっていないということだ。

だからといって、「みんなちがってみんないい」や「明日は明日の風が吹く」というまとめ方で本書を結んでしまうのは、いささか無責任だ。そこで本章では、ＡＩ社会のルールや制度をどう作るか、つまりこれからの「ＡＩ社会のガバナンス」について、筆者なりの方向性を提案したい。

1．アジャイル・ガバナンスの必要性

（1）目指す完成形

まず、最終的に達成したい完成形から考えてみよう。第1章で紹介したＡＩリスクの特徴は、以下のようなものだった。

①予測や説明の難しさ
②バリューチェーン上の主体の多さ
③技術革新や普及の速さ
④信頼性判断の難しさ
⑤正解のない倫理的な課題
⑥グローバル化
⑦汎用ＡＩがもたらす未知の影響

これらのＡＩの特徴を踏まえたうえで、まずは、社会のガバナンスの理想形を描いてみよう。なお、以下では事故発生前と事故発生後について分けて考えるが、ここでの「事故」とは、自動車事故のような物理的な事故だけでなく、プライバシー侵害や差別の発生など、様々な種類のインシデントを含む。

a．平時（事故発生前）

ＡＩシステムは複雑で、予測や説明が難しく、変化も速いので、国が一律にルールを決めて全員で守るというトップダウン型のガバナンスでは対応できない。そのため、ＡＩサービスに関わる各主体（データ提供者、ＡＩ開発者、ＡＩサービスの提供者など。以下では簡略化のために「ＡＩ提供者」と呼ぼう）が、第4章で検討した「ＡＩシステムのガバナンス」を自ら実践することが望ましい。つまり、各自が適切に影響評価を行い、リスクへの対応を行うと共に、その体制自体を随時アップデートしていくこと（二重のループ）だ。なおかつ、そうした影響評価のプロセスや結果について、ステークホルダーに適切な開示を行うことが必要だ。

さらに、ＡＩガバナンスには、これまでに我々が直面してこなかったような倫理的な判断や価値の選択が求められる。「トロッコ問題にはいろいろな考え方がありますね」ではだめで、どの価値観を選択するかを決めなければプロダクトにならないのだ。この判断は、ＡＩ提供者だけで決めきれるものではない。多様性のあるステークホルダーによる議論と選択が重要になるし、その結果としての選択を自分たちの言葉で説明し責任を引き受けること（アカウンタビリティ）が必要になるだろう。

ビジネスのグローバルな展開を後押しするため、こうしたプロセスは、できる範囲で相互運用できることが望ましい。もちろん、最終的な価値判断は国や地域ごとに異なるのでルールの統一はできないが、相互に重なる範囲については足並みを揃えるべきだろう。

b．事故発生後

どんなにＡＩシステムのガバナンスをしっかりとやっても、ＡＩの性質上、何らかの事故は必ず起きる。不幸にも事故が起きてしまった際には、以下のようなプロセスが重要になるだろう。

まずは、被害者が迅速かつ実効的な救済を受けられることが必要だ。これは、単に被害者による損害賠償請求が認められればいいという話ではない。現在の制度では、損害の回復は金銭で、かつオフラインの裁判や調停手続きを経て行うことが原則だ。しかし、プライバシーや差別に関する損害は、お金に換算することが難しいし、また裁判などを行うには被害者に精神的・時間的・金銭的コストがかかる。こうした点も含めて実効的な救済制度を整備しなければならない。

そのうえで、リスクが分からないことだらけのAIシステムについては、事故から学ぶことで再発防止につなげることが、これまで以上に重要だ。そのためには、AI提供者が、事故の際に情報を隠蔽するのではなく、積極的に情報を提供するようなインセンティブを与える必要がある。

また、AIのバリューチェーンには、データ提供者、AI開発者、AIサービスの提供者（本章では「AI提供者」とひとまとめにしている）、そしてユーザーを含む多くの関係者が存在し、事故の背景にもこれらの複数の主体が関与していることが多いため、きちんと事故の原因を究明した上で、最終的な責任が適切に分配されるようにすることが重要だ。

以上のような理想と現実を比べると、残念ながらそこには大きなギャップがある。我々の社会には、法的拘束力の有無を問わず、規制、通達、指針、ガイドライン、マニュアルといったルールが溢れている。これらには全て従うのが良いこととされ、その実践には多くのコストがかかる。その上、これらの中には、十分に検証されていなかったり、長い間アップデートされていなかったりするものも多く（なお、ＡＩの世界では、一年でも十分に「長い間」だ）、それを実践することがＡＩの価値を社会に届けるために本当に最適である保証はまったくない。にもかかわらず、「ルールに従っていれば責任を負わなくてよく、自身のリスク評価に従ってルールから外れたことをやると責められる」という状況では、自らの創意工夫に基づいてＡＩシステムのガバナンスに取り組む理由はなく、責任もうやむやになり、ガバナンスのノウハウも蓄積されない。

事故の発生後の行動についても同様だ。我々は、問題が発生したとき、できるだけ情報を隠そうとする。開示すればするほど、規制当局やメディアから非難され、不利になることが多いからだ。もし誠実な事故情報の調査や開示が今後のＡＩシステムの信頼性向上に役立つのであれば、そのような行為は、法的・社会的にも積極的に評価すべきだろう。

以上のような理想と現実のギャップを踏まえ、以下では、どのような制度設計にすればこのような「理想形」に近づくことができるのかを考えていこう。

（2）四つの規律手法

米国の憲法学者であるローレンス・レッシグは、二〇〇六年の著書『CODE VERSION 2.0』の中で、人の行為を規律する手法として、法規制（Law）・市場（Market）・社会規範

(Norm)・アーキテクチャ(Architecture)という四つを挙げた。

「法規制」とは、立法者がルールを定めて、それに違反した者に罰則を科したり免許を取り消したりするという脅威を与えることで、企業や個人の活動を規律するメカニズムだ。第5章で紹介してきた様々な法律は、基本的にこのカテゴリーに入る。

「市場」は、商品・サービスの価格や企業の株価に関する需要と供給の調整を通じて、企業や個人を規律する。各自が自己の利益を最大化しようとすることこそが、社会にとってプラスになるという発想だ。企業が、法律の要求以上にユーザーの権利保護やサステナビリティに配慮するのは、市場において投資家やユーザーからより高い評価を受け、それによって利益や企業価値を最大化するためだといえる。

「社会規範」とは、一定のコミュニティの中で形成された規範であり、それに違反すると所属するコミュニティから非難を受けることになる。第1章で挙げた信用スコアリングの事例は、必ずしも法律違反とはいえないものであったが、それにもかかわらず「炎上」してしまった。これは、社会規範による規律が機能した例といえるだろう(それが良いことかどうかは別として)。

最後の「アーキテクチャ」は、あまり聞きなじみがないかもしれない。これは、企業や個人の活動に影響を与えるような物理的・技術的環境を意味する。我々の行動は、様々な環境に制約されている。かつて、ニューヨークのロングアイランドのビーチにつながる道路には、バスが通り抜けできない低い陸橋がかかっていた。これは、バスでしか移動できない貧困層（黒人）をビーチから遠ざけ、自家用車のある富裕層（白人）だけがビーチに行けるように設計したものだ。人が横になることを防ぐためにベンチの中央に取り付けられた手すりも、アーキテクチャによる行動の制約だ。そして、デジタル領域での人々の選択肢や行動範囲は、そのアーキテクチャ、すなわちシステムやプログラムの構造によって規律される、というのがレッシグの指摘だ。

代表的なのは、中国を覆うインターネット検閲システムの「グレートファイアーウォール」だ。これによって、中国本土からは、グーグルやフェイスブック、ＣｈａｔＧＰＴなどのサービスに接続することができなくなっている。また、我々が国の機密情報にアクセスできないのは、法律や社会規範に照らしてやらないということ以前に、そもそもセキュリティ技術が張り巡らされてアクセスできないようになっているからだ。ＡＩについても同様に、規制当局がＡＩの出力を常時モニタリングすることで、不適切な出力を防ぐという手法が考えられなくはない。

（3）それぞれの規律手法の特徴

我々の社会のガバナンスは、以上に述べたような様々な規律手法を組み合わせることで成立している。そして、それぞれの手法には長所と短所がある。以下、ＡＩ社会のガバナンスという観点からどのような点が課題になるかをみていこう。

a．法規制

法規制は、非常に強力な手段だ。日本の罰金額は諸外国に比べて安いが、それでも、法律違反で指導や制裁を受けたということ自体が社会的信用を大きく傷つけるため、経済的な損失は莫大になることが多い。また、事業免許の取り消しともなれば、企業にとっては終了宣告に等しい場合もあるだろう。そのため法規制は、規制される事業者に強いインセンティブをもたらす。また、規制の内容は民主的なプロセスに従って決定されるし、仮に憲法違反の疑いがあれば裁判所によって無効とされる可能性もあるから、人権侵害的な規範が定められるリスクは比較的少ない。

このような強力で正統性のある法規制だが、ＡＩ社会を規律する上での限界もある。それは、柔軟性や迅速さを欠くという点だ。法律を作って施行するには、どんな速くても二年はかかる。その間も、ＡＩ社会は業界横断的に圧倒的なスピードで変化してゆく。そのため、具体的な義務を定めたとしても、すぐにそれが陳腐化してしまうのだ。また、一律の義務を定めてしまうと、価値観の多様化にも対応が難しい。さらに、政府と企業との間に圧倒的な情報格差がある。複雑なシステムについて政府が理解することは困難なので、それに関する正確なルールを作るのにも限界がある。そのような状況で闇雲にルールを作ると、イノベーションを阻害してしまうリスクがあるし、かといって企業の言いなりになると、肝心の目的を達成できない可能性が高い（こうした状況を、「規制の虜（とりこ）」という。図14参照）。さらに気を付けなければならないのは、規制が参入障壁を作るということだ。規制が重くなればなるほどコンプライアンスの負担は増えるが、大企業であれば、社内外の豊富なリソースを使って対応することができる。他方でこのような負担は、スタートアップや中小企業にこそ重くのしかかるのだ。

b．市場

市場は、法規制よりも柔軟かつ、時にシビアなメカニズムだ。仮に企業が法令に従っていたとしても、AIシステムが信頼できるものだと市場で判断されなければ、誰もそのAIシステムを使わないし、投資家からも出資を受けることができない。そして、市場で評価されないサービスや組織は、存続することができない。逆に、信頼できるAIを作ることは競争力につながる。そのため、市場メカニズムが有効に働けば、企業は、法規制がなくとも、最

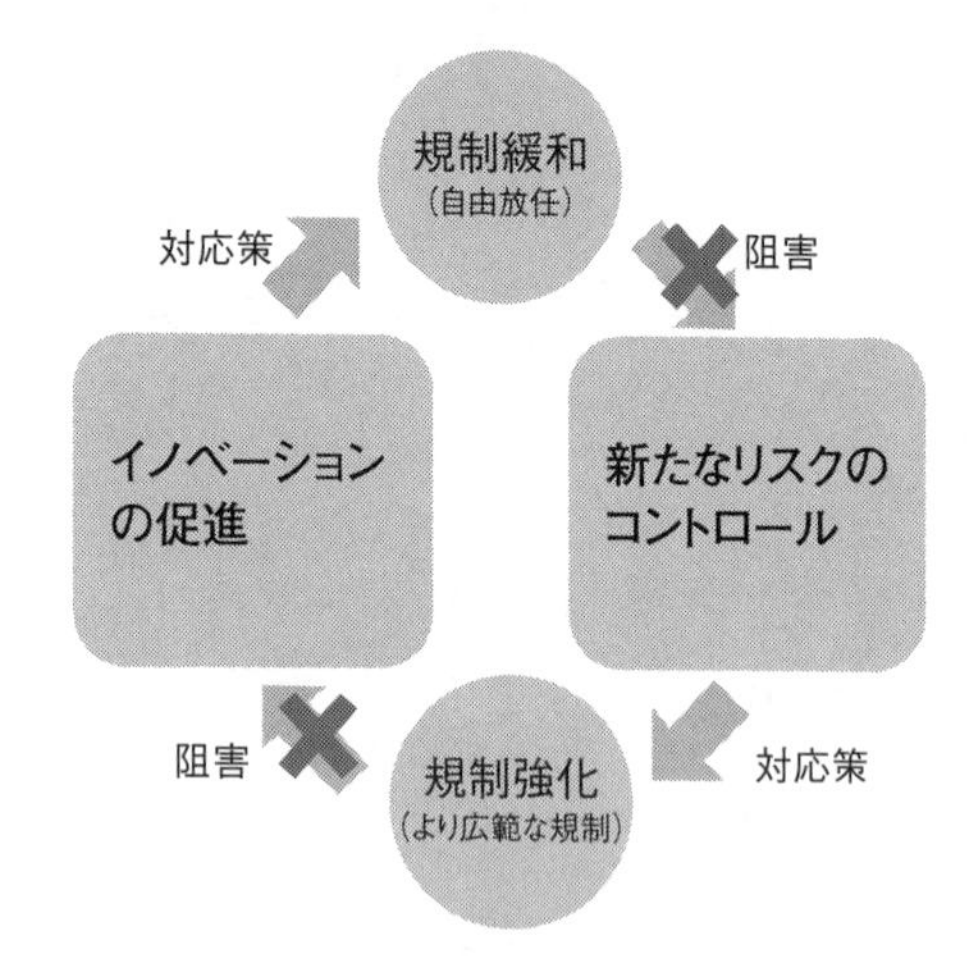

図 14：法規制が陥りがちな悪循環

出典　経済産業省「GOVERNANCE INNOVATION：Society5.0 の実現に向けた法とアーキテクチャのリ・デザイン」報告書 P12

適な水準のＡＩガバナンスに取り組むだろう。政府は、市場メカニズムが適切に機能するように、情報開示ルールや損害賠償ルールを定めたり、契約執行の制度を整備したりすればよい。

こう書くとうまくいきそうだが、市場も万能のツールではない。市場の参加者にとっては、仮に情報開示のルールがあったとしても、ＡＩサービスが信頼できるかどうかを正しく判断することが難しい。ＡＩ技術は非常に複雑で、詳細な情報を開示されたとしてもその意味について判断することは困難だし、開示された情報は企業にとって都合の良いことだけかもしれないからだ。

企業の本音と建前のギャップについて、グーグルのＡＩ倫理研究者だったティムニット・ゲブル氏が同社から解雇された事例を紹介しよう。ゲブル氏は、ワシントン大学の教授らと共に、自然言語モデルがオンラインに存在する偏見を再生産してしまうことなどについて書いた論文を学会に提出したところ、会社から、これを撤回するか、共著者から名前を削除するよう求められた。これに従わなかった彼女は、それから二か月ほどで解雇されてしまったのだ。グーグル側は解雇の理由についてコメントしていないが、テクノロジー企業は、自社にとって不利な情報を公表しない可能性がある点には注意が必要だ。

取引の当事者間に交渉力の格差がある場合や、ユーザー側に代替的な選択肢がない場合にも、開示ルールはあまり役に立たない。このような場合には、AIリスクに関する情報を開示されたところで、ユーザーにできることはほとんどないのだ。それどころか「リスクを承知で契約した」という形ができてしまい、かえってユーザー側の責任が重くなることもある。

損害賠償ルールについても課題は多い。現在の法律では、AIによって被害を受けた側が、AI提供者に過失があったことや、それによって損害が生じたこと（因果関係）を証明しなければならない。これは、情報の少ないユーザー側にとっては非常に困難なことだ。ハードウェアと一体化した「製造物」であれば、製造物責任法によってAI提供者の「過失」が推定されるが、それでもAI製品の「欠陥」（確率的な予想しかできないAIの「欠陥」とは何だろうか）や、欠陥が損害を引き起こしたという「因果関係」（AIは完璧ではないので、仮に欠陥がなくてもどのみち損害は発生したかもしれない。そうだとすれば、欠陥が損害を発生させたとはいえないのではないか）、そして「損害」（たとえば、許される区別と許されない差別の違いは何だろうか）を全て被害者側が証明しなければならない。そもそも、被害者がわざわざ裁判所に行って損害賠償請求をすることは、よほど大きな損害が出る場合でなければ考えられない。日常生活の中で生じるような差別やプライバシー侵害などは、損害の算定が困難であり、どのみち裁判費用をカバーできるような金額にはならないことがほとんどだ。日本の消費生活センターは優れているので、消費者トラブルはそこに相談することで解決することも多いが、強制力はないので解決の保証はない。結局、多くの場合において、被害者が救済されるかどうかは、ＡＩ提供者の側がサービスの一環としてどこまで苦情に応じるかにかかっている。

c．社会規範

このように、市場による監視も十分に機能しないにもかかわらず、多くのＡＩ提供者がＡＩガバナンスに取り組もうとする理由の一つは、社会的制裁があるからだ。ソーシャルメディアは、個人に大きな力を与えた。名もない人が投稿した情報であっても、いったん火がつけば、何十万人という人に共有されることになる。いわゆる「炎上」だ。これは、ある意味で全てのユーザーが監督者になるということであり、ＡＩ提供者がガバナンスに取り組むための非常に強力な動機付けとなる。

しかし、このような個人やコミュニティによる監視にもリスクはある。まず、共有される情報が真実である保証はない。とりわけ昨今では、生成ＡＩを使ってディープフェイク画像や偽ニュースを作ることが容易になっており、誤った情報やイメージが世間に拡散してしまうリスクが高まっている。また、社会の評価が常に正しいかもわからない。たとえば、ある業界で、長年にわたって品質検査の不正が蔓延していたとする。そのうち一社が、社内ガバナンスを整備して調査に乗り出し、これまでの不正を洗いざらい世間に報告し、改善に取り組むことを約束したら、世間はどう反応するだろうか。おそらくその会社に集中砲火を浴びせるだろう。不正はセンセーショナルに報道され、会社の信用は失墜するだろう。しかし、過去の行為はどうあれ、不正を調査報告し改善に取り組むこと自体は、健全なガバナンスだ。より悪質なのは、同じような不正をしているのに黙っている同業他社なのだが、それらの他者が、ほとぼりの冷めたころに不正を報告しても、ニュースバリューが少ないためあまり話題にならないだろう。このように、社会にとってあるべき行為と、社会から批判される行為は異なる。ソクラテスを葬ってしまったポピュリズムを生む土壌は、現代にも存在することを忘れてはならない。

d．アーキテクチャ（技術）

　アーキテクチャによる規律がその他の規律と大きく異なる点は、「やるかやらないか」という判断を行為者に迫るのではなく、「やる」という選択肢を取り払ってしまうことだ。行為者は、そもそも何が禁止されているのかにも気づかないことが多い。たとえば、中国から外に出たことのない人は、フェイスブックやＣｈａｔＧＰＴの存在を知らずにいるかもしれないし、それによって自分たちの言論空間にどのような制約が生じているかに気が付くこともないだろう。

　アーキテクチャによる規律のもうひとつの特徴は、国外の相手に対しても効果的だということだ。法律や社会規範は、それぞれの国や地域ごとに形成されたり執行されたりするため、外国にいる者に対してあまり効果的ではない。たとえば、国内で「政府システムをハッキングしてはならない」と法律で定めたとしても、海外のハッカーを日本の警察が追いかけていくことは難しいので、あまり抑止力にならない。しかし、適切なサイバーセキュリティ対策（アーキテクチャ）を講じておけば、攻撃者が国外にいたとしても十分に機能する。

　このように、アーキテクチャによるガバナンスは非常に強力かつ効果的であるが、そうであるがゆえに、政府による規律としてこれを実施することには多くのリスクが伴う。たとえば、生成ＡＩなどに政府システムとの接続を義務付け、そこでリアルタイムに出力内容を監視し制御するといったことは、技術的には考えられなくないが、プライバシーや民主主義へのリスクがあまりに大きい。また、特定の技術や規格の仕様を義務付けることは、イノベーションの阻害につながり得る。国においてそのようなＡＩ監視システムを構築することは、運用やメンテナンスも含めて非常に大きなコストがかかる。その上、制御されていること自体に対する意識が薄れるため、規律の見直しが起きにくくなるという問題もある。

なお、デジタル市場では、アーキテクチャが取引コストを下げたり新たな価値を生み出したりする例がある。代表的なのが、ブロックチェーンを使った暗号資産やＮＦＴ（ノン・ファンジブル・トークン）といった仕組みだ。簡単にいえば、前者はデジタルのお金、後者はデジタルの資産にあたる。ブロックチェーンとは、取引の記録を連鎖的に結びつけたデジタル台帳技術で、一度記入された情報は、システム上改ざんがほぼ不可能だ。そのため、銀行や登記所のような中央機関がなくとも安全な取引を行うことができることになり、取引コストが下がる。

ＡＩに話を戻そう。政府がアーキテクチャによって直接ＡＩの出力を操作したり監視したりすることは非常にリスクが大きいが、ガバナンスに技術的な手法を用いること自体は否定されるべきではない。むしろ、膨大な量の処理を瞬時に行うことができるＡＩについては、人間のみによってそのリスクをコントロールすることは不可能だから、技術的な手法（バイ・デザイン）を用いてガバナンスを行うことは必須ともいえる。おかしな出力がないようにプログラム上のガードレールを組んでおいたり、ＡＩの出力を別のＡＩで常時モニタリングしたりすることがその例だ。ただ、それはあくまでも個々のＡＩ提供者によって「ＡＩシステムのガバナンス」として実践されるべきものだ。国としては、ＡＩ提供者が適切な技術的措置をとることを、法律や市場ルールによって促せばよい。加えて、シンガポールの「ＡＩベリファイ」のように、ＡＩの信頼性を検証できるようなオープンソースのテスト環境を公的機関が提供することも検討されるべきだろう。

（4）アジャイル・ガバナンスという考え方

以上、四つの規律手法それぞれの長所と短所を検討してきた。現実の社会では、これらの手法が複雑に入り組んでいるため、我々は、それらをうまく組み合わせて最適なガバナンスをデザインしなければならない。もっとも、そのこと自体はＡＩ登場前から同じだ。ただ、ＡＩ社会で問題なのは、制度をデザインしようにも、分からないことが多すぎることだ。最近は、変動性（Volatility）・不確実性（Uncertainty）・複雑性（Complexity）・曖昧性（Ambiguity）の頭文字をとって、「ＶＵＣＡ社会」という表現も使われる。政策担当者にも、市場参加者にも、善良な市民にも、それどころかＡＩ提供者にすら、一体ＡＩからどのようなリスクが生まれ、それに対してどのような対処法が効果的なのかを事前に判断することはできないのだ。

このような社会で、仮定に仮定を重ねて制度を構築したとしても、それがうまくいく保証はないし、仮に一時的にうまくいったとしても、すぐに陳腐化してしまうだろう。選挙で選ばれた国会議員が採決したから、優秀な官僚がドラフトしたから、他の人たちも従っているから、だから今の制度が正しいというフィクションは成立しなくなりつつある。これからは、常に今ある制度を疑い、見直しアップデートしていく社会に移行しなければならない。

実は、これに似たアプローチは、ソフトウェア開発の場面ではかなり前から実践されている。それは、「アジャイル開発」と呼ばれるものだ。アジャイルとは、「俊敏な」という意味で、アジャイル開発とは、短い時間で小規模な開発と実装を繰り返す手法だ。あらかじめ仕様書を作りこんでおき、その通りに実装するという手法では、複雑化するシステムに対応できなくなってきたことから導入された。このアジャイル開発の発想をガバナンスに応用した「アジャイル・ガバナンス」という考え方が、日本を含む世界各国で受け入れられている。

ここでピンときた読者もいるだろう。アジャイル・ガバナンスという言葉は、第4章にも登場した。そこでは、ＡＩシステムのガバナンスにおいて、一定のプロセスに従ってＡＩリスクのマネジメントを行いつつ（内ループ）、そのプロセス自体も外部リスクや環境の変化を踏まえてアップデートする（外ループ）という二重のループを常時回転させることを、アジャイル・ガバナンスと呼んでいた。まさに同じことが、社会制度にもいえるのだ。我々は、個々のシステムのレベルでも、社会制度のレベルでも、アジャイル・ガバナンスを実践していく必要がある（図15）。

以下では、制度設計としてのアジャイル・ガバナンスの具体的な内容をみていくが、その全てに共通するアプローチがある。それは、以下の三つだ。

①アジャイル：制度の在り方を常に見直し、学習しながらアップデートする。
②マルチステークホルダー：制度の設計から運用、評価までを、多様なステークホルダーの関与のもとで行う。
③分散：政府が中央集権的に制度の設計や運用を担うのではなく、各主体が制度の設計や運用を分担する。

この三つの要素は、二〇二三年のＧ７デジタル技術大臣会合宣言でも示されたものだ。以下では、このような「アジャイル・ガバナンス」の考え方を通奏低音として、ＡＩ社会にふ

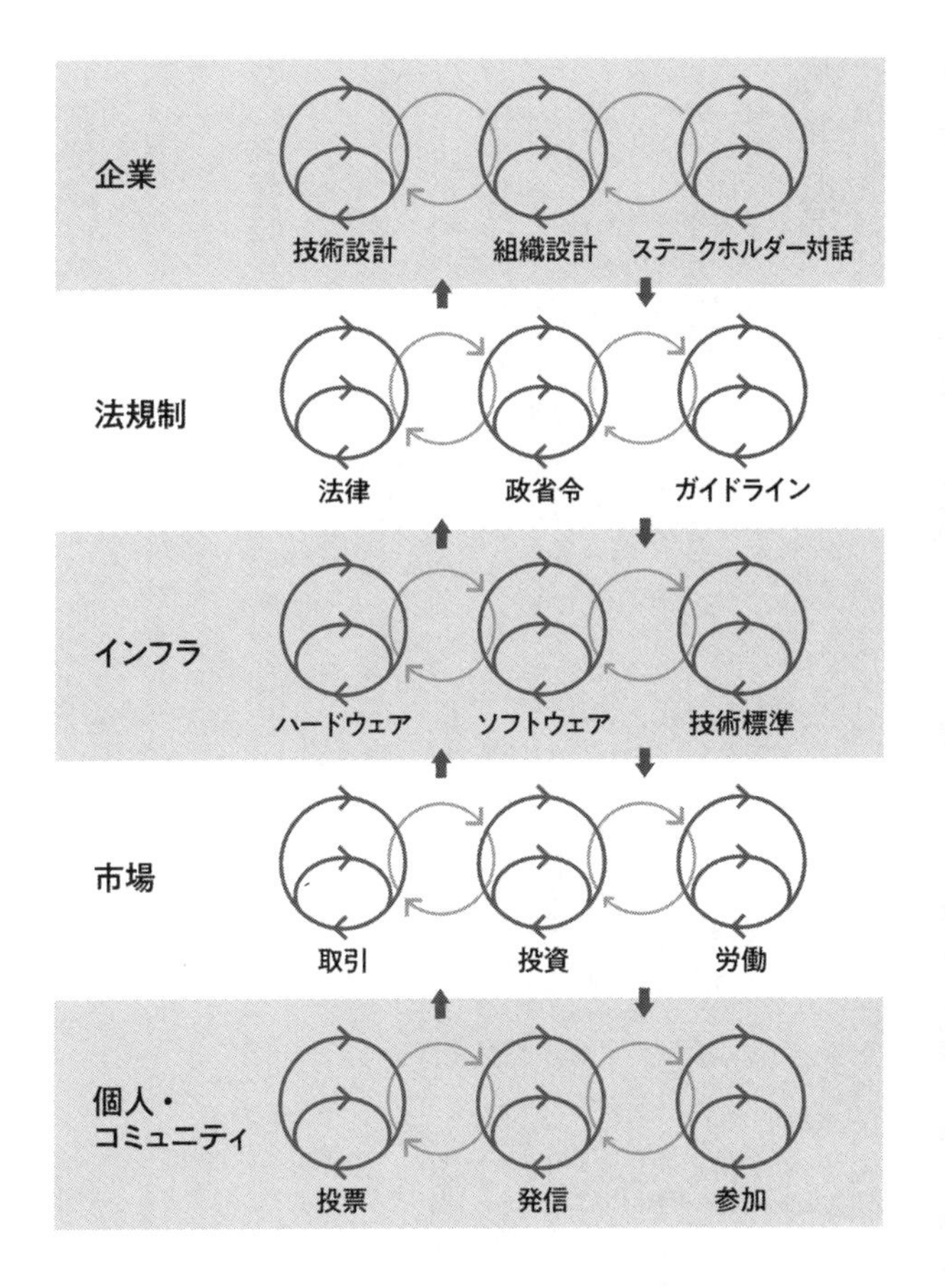

図 15：アジャイル・ガバナンスのイメージ図

出典　経済産業省「GOVERNANCE INNOVATION Ver.2: アジャイル・ガバナンスのデザインと実装に向けて」報告書 P55

さわしい制度設計の在り方を描いていきたい。

2. 変化に強い法規制

(1) 規制はどのような場合に必要か

まずは、法規制の在り方を考えてみよう。最初に問うべきことは、「本当に規制が必要なリスクが発生しているのか?」ということだ。規制で企業を縛ることは、行動の制限とコンプライアンスコストの負担という二重の意味での制約になるし、イノベーションを阻害するリスクもある。さらに、法律を作って執行するには多くの税金を投入する必要がある。市場や社会のプレッシャーによってリスクが十分に抑えられているのなら、規制は避けた方がよいオプションだ。それでは、どのようなAIについては規制が必要なのだろうか。

a. 既に規制されている分野

AIに関する規制が必要な分野としてまず思いつくのは、人間が既に規制を受けている分野だ。自動車の運転や医療行為は、規制の対象となっており、これらを行うためには免許（自動車免許や医師免許）が必要とされている。ＡＩがこれらの行為を代替するのであれば、何らかの形で規制が必要な可能性は高いといってよいだろう（ただし、コロナ禍後にようやく見直された押印義務など、人間についても必要かどうか疑わしい規制はたくさんあり、それらについて常に見直しを行うべきなのはもちろんだ）。

その場合、次に検討すべきなのは、ＡＩのために既存の規制を変える必要があるかどうかだ。たとえば、男女雇用機会均等法は、採用の場面での男女差別を禁止しているが、応募書類をスクリーニングするＡＩがバイアスをもっていたとしたら、それは法律違反なのだろうか。あくまでＡＩは補助ツールで、人間が最終的にチェックするという使い方であれば、直ちに法改正する必要はないだろう。ところが、採用の場面でＡＩが使われていくうちに、人間がＡＩのバイアスを発見することは難しく、監視者としての機能を果たせないことが判明するかもしれない。その場合は、採用ＡＩに関する新たな法律を作る可能性もある。実際にニューヨーク市では、採用ＡＩに関する法律を制定した。そこでは、応募者に対してＡＩを使う旨を通知すると共に、使用されるＡＩについて、年に一度、独立した第三者による監査を受けることを義務付けている。日本の例として、画像診断などのＡＩ医療機器はあくまでも医師の補助ツールとして位置づけられているが、それでも法律の定める承認を受ける必要があるとされている。これは、医療機器の判断が人間の健康にもたらし得るリスクを考慮したものだ。

それでは、これまで規制で求められていたことを、AIで完全に代替する場合はどうだろうか。まさにこの点に取り組んでいるのが、第5章で紹介したデジタル手続法だ。そこでは、目視義務、実地監査義務、定期検査義務、常駐規制など、アナログな方法での義務を、AIによる画像識別などに置き換えるための検討が行われており、代替技術に関するテクノロジーマップも公表されている。しかし、どのような仕様のAIについて、どのようなプロセスで運用すれば人間と同等に扱うことができるかについては、まだ明らかにされていない。

b. まだ規制されていない分野

他方、人間についてはこれまで規制の対象とされていなかったことについて、AIのために新たに規制を導入することには、より慎重な検討が必要だ。たとえば、学校の教室にAIカメラを設置し、いじめと疑われる状況を検知したらアラートを出したり、生徒の表情から感情を推測して不登校や鬱の兆候がないかを確認したりすることについて考えてみよう。教員がいじめをチェックしたり、生徒の表情から感情を推測したりすることは、もちろん問題ない。そして、AIを使えば、より効率的にいじめの現場を発見できるし、機微な感情も読み取れるかもしれない。このような場面で、ＡＩの使用に関する規制が必要だろうか。

このような問題については、「正解がない」というのが唯一の正解だ。ＡＩによって、これまでいじめに気づいてもらえなかった子供が救われる可能性は大きい。他方で、ＡＩの精度は完璧ではなく、特に感情の機微などについては、誤判定するケースも多いだろう。また、ＡＩで常に分析されていると分かれば、子供たちの心理に影響を与え、本心とは異なる表情を強いることになるかもしれない。そうした影響は、すぐに出るわけではなく、長い時間をかけてじわりじわりと出てくるものだ。また、リスクの程度は、データの取り扱いやシステムの精度によっても変わってくる。たとえば、ＡＩが不登校になりそうな生徒を個人レベルで判定するとすれば、ＡＩの存在が子供たちに与える心理的負担は大きいだろう。それでは、個人を特定できないような形でデータを処理し、抽象的にクラスの何パーセントの生徒に不登校の傾向あり、という数字が出るだけであればどうだろうか。また、ＡＩの精度が七〇％の場合と九〇％の場合とで判断は変わるだろうか。

このように、ある場面にＡＩを導入するかどうかを判断するためには、様々なプラスとマイナスの要素を考慮しなければならない。しかも、これらの要素は、いずれも刻々と変化していくのだ。そのようなことを、国のレベルで一律に規制するのは困難だ。どのようなＡＩをどのようなルールで運用するのか、あるいは禁止するのかといった点は、各学校レベル、地域レベルで、教員、保護者、生徒など様々な立場のステークホルダーを集めて結論を出すしかない。そして、いったん検討したら終わりではなく、そのプロセスを繰り返すのだ。これこそが、「アジャイル・ガバナンス」だ。

(2) プリンシプルベースの法規制

それでは、法規制が必要だと判断された場合、どのようなルール設計をすればよいのだろうか。

変化が速く複雑なAIの世界において、規制対象となるAIの技術的な要素を書き込むことは現実的ではないし、ある場面にAIを使ってよいかどうかを一律に決めることも適切でない場合が多い。そこで、法律には「AIの使用の可否」や「使用すべき技術の詳細」ではなく、「どのような価値を考慮すべきか」や「どのような手続きを実施すべきか」という原則を記述する形式とすることになるだろう。たとえば、採用アルゴリズムに関して何らかの規制を導入するとしても、公平性について「このデータとこのモデルを使い、この指標で差別を何パーセント以内に抑えよ」と指定することは難しく、「性別・人種・年齢について公平性を確保するための適切な措置を実践せよ」といったことを書けるにとどまるだろう。そのうえで、実際のモデルや評価指標については、柔軟なガイダンスや標準などのソフトロー

（この後で述べる）を使って決めていくことになる。

このような結果に着目したアプローチを、「ゴールベース」や「プリンシプルベース」と表現することもある。特に「プリンシプルベース」は、コーポレートガバナンス・コードの文脈でご存じの方も多いだろう。複雑化する企業の経営においても、詳細なルールを決めることは不可能なので、基本的な原則や価値観を設定し、それに基づいた企業の自律的な行動を期待するプリンシプルベースが採用されているのだ。それと同様の考え方が、ＡＩ規制の文脈でも必要になるだろう。ただし、これは、政府が抽象的なルールだけ定めてあとは民間主体に丸投げすればよい、という意味ではない。そのような運用は、政府による恣意的な規制の運用を許し、企業による過度のコンプライアンスを生むか、逆に政府が企業の言いなりになるリスクを生じてしまう。そこで政府は、次に述べるソフトローの形成にも責任をもつべきだ。

（3）柔軟なソフトローの策定

プリンシプルベースの規制が制定された場合、そこで示されたルールと現場の実務の間には相当の開きが出てしまう。そこで、法律で示された規範を実務に落とし込むためのガイドラインやツールキット、標準などのソフトローを産官学などの協力によって作っていくことが望ましい。その中で、具体的な技術的要件や運用プロセス、開示の項目などについて記載していくことになるだろう。

こう書くと、それは法律に詳細を記載するのと何が違うのか、と思われるかもしれない。大きな違いは三つだ。

第一に、このようなソフトローの作り手が、政府である必要はない。もちろん、政府が音頭を取る場合も多いだろうが、その議論には、AI提供者、ユーザー、関係するコミュニティ、専門家など、様々なステークホルダーが参加すべきだ。現在でも、法律や重要なガイドラインなどについてはパブリックコメントが実施されるが、これは「ほぼ決まったことを微修正するためのプロセス」であることも多い。そうではなく、草案作成段階から多くのステークホルダーの参画を得ることが望ましい。実際、これまでに何度か紹介した米国NISTのAIリスクマネジメントフレームワークの策定時にも、初期段階から広く一般からの意見公募が行われた。

第二に、ソフトローには、法的拘束力がない。つまり、法律で義務付けられるのは、あくまで公平性や安全性などの結果や原則の達成であって、ガイドラインなどはその参考資料に過ぎないのだ。ソフトローに書かれていない方法であっても、より低いコストで、またはより高いレベルで法目的を達成できる方法があれば、そちらを採用してよい。これによって、各ＡＩシステムに最適な、柔軟なガバナンスが可能となる。

第三に、ソフトローをアップデートできるスピードは、法律とは比べ物にならないぐらい速い。法律を改正するには、少なくとも二、三年はかかるが、ソフトローであれば、数か月で（マイナーな修正であれば数日でも）対応できるだろう。

（4）情報開示と外部監査・第三者認証

このように、ソフトローは規制に柔軟性と具体性をもたらすが、いくらガイドラインや標準などが整備されても、ＡＩシステムに関する細かなオペレーションについてまで書き込めるわけではない。結局のところ、法律で定められた目標をどのように達成するのかは、各ＡＩ提供者次第であり、第三者としてはそれに関する情報を開示してもらうしかない。十分な質と量の開示は、ＡＩの信頼性確保に必須の条件だ。

しかし、本当に内部のシステムが開示のとおりに設計・運用されているかは分からないし、仮に開示内容に嘘がないとしても、その内容を一般人が評価するのは困難だろう。そこで、専門的な第三者が、ＡＩシステムのモデルやその運用を評価し、信頼を付与する（アシュアランス）ことが考えられる。多くの人が様々な目的で使う生成ＡＩのような汎用モデルについては、公的な主体が開かれた評価を行うことも有益だろう。

信頼付与の方法は様々だ。たとえば、システムやオペレーションの信頼性について、外部監査を受けるという方法もあるだろう。ある規格に沿ったシステム設計やオペレーションが行われていることを、第三者が認証するという仕組みも考えられる（ＡＩに対する免許のようなイメージだ）。保険会社が、保険商品を提供する条件として、ＡＩシステムの信頼性チェックを行うスキームもあり得るだろう。

アシュアランスの主体としては、監査法人、弁護士法人、保険会社などのほか、公的な認証機関、セキュリティ企業、そして大学などの研究機関なども考えられる。

（5）規制のサンドボックス

新たな技術やサービスについて規制を検討する際は、その必要性や手段について十分なデータに基づいて評価する必要があるが、とりわけＡＩのような予測の難しい技術については、実際に社会に実装してみないとリスクや効果的な対応法が分からないことが多い。そこで、一時的に規制を緩和・免除したり、規制が適用されない私有地を使ったりして、新技術に関する実証実験を行い、そのデータに基づいて規制の必要性や手段について検討する制度がある。「規制のサンドボックス」と呼ばれるものだ。現在、日本を含む多くの国でこのような仕組みが導入されている。国境を越えたサンドボックスの協力なども、今後進んでいくことだろう。

（6）新規事業に対するセーフティネット

このように、規制の改革や創設には様々なアプローチがあるが、わざわざ規制を改革しなくても、現在の規制の下でAIを使えると考えられる場合は多い。人間の補助ツールとしてAIを使う場合は、多くがこのカテゴリーに入るだろう。しかし、中には、法律の解釈としてAIを使えるかどうかが微妙な事例もある。そのような場合には、規制当局が法律の解釈を明確化する「グレーゾーン解消制度」という制度を使うことができる。

ただし、規制当局としては、許可したサービスについて何か問題が生じれば責任をとらなければならなくなるので、消極的な回答をするインセンティブが働いてしまうことには注意が必要だ。たとえば、第5章で紹介したリーガルテック（法務AI）の分野でも、当初グレーゾーン解消制度で合法性が照会されたのだが、その際の法務省の回答は非常に後ろ向きなものであった。その後、リーガルテックの技術的特徴や活用の必要性について弁護士、リーガルテック企業、法務省などの間で度重なる協議が行われた結果、風向きが変わり、基本的に合法とする指針が改めて公表されたのだ。

(7)「AI庁」は必要か

政府にAI専門の機関は必要か、という点も世界各地で議論されている。まず、EUと異なり、日本にはAIに関する包括的な規制がないので、規制当局としての「AI監督庁」は現時点では不要だろう。AIは既に、医療、金融、交通、エネルギーなどあらゆる規制分野で活用されており、これらをひとつの規制機関で監督するというのは無理がある。言い換えれば、特定の省庁ではなく、全ての監督機関がAIに関する知識やノウハウを身に付ける必要があるのだ。

ただ、そうだとすると、各省庁がばらばらにそれらの知識を取得するのは非効率だ。たとえば、AIシステムの影響評価については、第4章で述べたような枠組みレベルであれば業界横断的に適用可能だし、様々な分野に共通して活用できるようなAI技術(文章や画像の生成AIは、まさにそうした例だ)のリスクやユースケースについても、一か所に情報を集約し、それを政府内や社会一般に共有した方が効果的だろう。そのため、ツールの提供者やナレッジセンターとしてのAI専門機関であれば、政府内に創設する意義は大きいかもしれない。

3. マルチステークホルダーで作るガイダンスやツール

規制はあくまでも最終手段であって、規制がなくてもＡＩシステムのガバナンスが適切に行われるのであれば、それに越したことはない。先に挙げた学校でのＡＩカメラの使用などについても、各学校で自主的にリスク評価やリスク対応が話し合われることが望ましいし、ビジネスの世界においても、ＡＩの提供者側であるかユーザー側であるかを問わず、自らＡＩシステムのガバナンスについて検討し対処することが望まれる。

しかし、いくらそれらが重要だと理解していても、実際にＡＩのリスクを評価したり、適切な対応方法を考えたりするのは、よほどの専門家でないと難しい。そこで、そのようなＡＩシステムのガバナンスの実践を補助するため、以下のような様々なガイダンスやツールが提供されることが望ましい。

（1）プロセスや技術に関するガイダンス

ＡＩシステムのガバナンスにおいてまず必要なのは、具体的にどのようなプロセスを実践すべきなのかということだ。これについては、まさに第4章で「二重のループ」として整理したところだ。そこで紹介したような様々なソフトローが、ガイドラインや標準などの形で世界中で公表されており、抽象度の違いはあるものの、大きな枠組みとしては概ね類似しているといえる。

ガバナンスに用いることができる技術についても、ガイダンスが提供されることがある。たとえば、プライバシー拡張技術については、国際標準によって用語や技術の概要が規定されている。

(2) 分野別の検討項目リスト・評価指標

第4章で整理したプロセスは、分野横断的に適用される大きな枠組みであったが、これだけだとまだ抽象的で、あまり実践的ではない。そこで、業界別(医療、交通、金融、教育など)・使用目的別(人間を代替するのか人間を補助するのか、個人を特定するのか統計量をとるのかなど)・技術の種類別(画像認識AI、行動予測AI、生成AIなど)といった様々な切り口を組み合わせて、文脈ごとのリスク検討項目・評価指標やリスク対応のオプションなどを整理することが有用だろう。

（３）透明性に関するガイダンスおよびツール

ＡＩシステムの信頼性を評価するためには、十分な質と量の情報が外部に提供されることが不可欠だが、具体的にどのような項目についてどのような説明を行うべきかは、開示相手（技術者か政策担当者か消費者か）やリスクの性質（ＡＩが誤ることによって心身にダメージを与え得るかどうか）などによっても異なる。そこで、適切な情報開示に関するガイダンスも必要になるだろう。

たとえば、東京大学公共政策大学院のウェブサイトで公表されている「ＡＩアルゴリズムの透明性について」という文書では、ＡＩシステムのガバナンスについて開示すべき情報や留意点について詳細な整理がなされている（なお、これは、私が同大学院で担当していた社会人向け講座において、受講生の方々が作成されたものだ）。欧州でも、欧州アルゴリズム透明性センターが、ガイダンスの策定に向けた検討を行っている。

生成ＡＩの普及以降、ＡＩシステムについてだけではなく、ＡＩが作成したコンテンツについても透明性を求める声があがっている。中でも注目を集めているのは、ＡＩが生成したコンテンツであることを表示する電子透かしの導入だ。Ｇ７の共同宣言でも今後の協力項目として取り上げられている。中国では、既にＡＩが生成したコンテンツに電子透かしを入れることを義務付けている。しかし、透かしに記録される情報の内容によっては表現の自由やプライバシーにリスクが及ぶ場合もあるし、敵対者によって電子透かしが偽造され、真実のコンテンツが虚偽コンテンツのレッテルを貼られるリスクもある。電子透かし技術の信頼性や、その導入によって新たに発生するリスクについても、実証実験を重ねながら検証すべきだろう。

（4）モデル契約条項

ＡＩシステムに関する権利や責任関係は、法律では決まりきらない部分が多く、実際はその多くが、契約という当事者間の合意によって決まってくる。しかし、ＡＩの開発を巡る契約は、人間の指示通りに動く予測可能なシステムの開発と性質が異なることから、従来通りの契約内容ではうまくいかないことが多い。そのため、より公平で適切な契約が締結されるような契約雛形やその解説が利用できることは重要だ。日本政府は、「ＡＩ・データの利用に関する契約ガイドライン」を策定し、契約雛形やその詳細な解説を公表している。

（5）システムのテスト環境

以上に述べたものは、いずれも文章形式でのツールであったが、世界では、実際のシステムとしてのツール提供も行われている。その代表例が、第５章のシンガポールの項目で紹介した「ＡＩベリファイ」というオープンソースのソフトウェアだ。これは、個人情報保護委員会主導で提供されているシステムで、透明性、説明可能性、安全性などの一一の原則について、実際のＡＩシステム環境の中で技術テストとプロセスチェックを行い、レポートを作成することができるツールキットだ。

二〇二三年一〇月の米国大統領令では、ＡＩに対する敵対的チーム（レッドチーム）による安全性テストの基準を政府が提供する方針が示された。ＡＩの安全性やセキュリティに関するこのようなテスト環境やガイダンスは、社会全体でのＡＩの信頼性底上げのために重要なインフラとなっていくだろう。

（6）対話を促進するツール

ＡＩガバナンスにはマルチステークホルダーの対話が必要だが、様々な論点について様々な意見を持つステークホルダーの議論をきれいに整理することは簡単ではない。そこでＡＩを使ってこれらの意見を取りまとめる試みが始まっている。第3章の民主主義の項目で紹介した、台湾の合意形成プラットフォームである〝vTaiwan〟では、シェアライドの許可などの特定の政策アジェンダに対する人々の意見をアルゴリズムでグループ分けして、世論の可視化や論点の抽出に活用している。昨今進展が目覚ましい生成ＡＩを使えば、瞬時に明確な論点整理ができるようになるかもしれない。

（7）誰がツールを作るのか――官民連携の必要性

以上、ＡＩシステムのガバナンスを補助する様々なソフトローやツールについて述べたが、これらは誰が作るべきなのだろうか。資金の出し手と中身の作り手で分けて考える必要があるだろう。資金については、こうしたツールがもたらす正のインパクトが広く社会に行き渡るものである一方、性質上誰もがアクセスできることが望ましいので、作り手が資金を回収することが難しい。そのため、何らかの形で公的資金（広く一般国民から集めた税金なのか、特に恩恵を受ける企業などから特別に徴収するのかはさておき）を注入することも必要になるだろう。

一方で、中身の作成については、政府が全てを担うことは難しいし、そうすべきでもない。たとえば、自動車で使われている三点式シートベルトを発明したのは、政府ではなくボルボだ。その後、多くの事故を経てシートベルトの安全性が検証され、一般的に広まり規制に採用されるまでに至った。ＡＩの世界でも、各企業がＡＩの信頼性を確保するための技術や仕組みの設計を行っている。たとえば、グーグルが提供するオープンソフトウェアライブラリであるテンサーフローでは、データやモデルの公平性をチェックしたり、プライバシーに配慮しつつＡＩをトレーニングしたりできるツールが公開されている。本章でも度々紹介したシンガポール政府の「ＡＩベリファイ」は、グーグル、メタ、マイクロソフト、アマゾンウェブサービスのようなグローバル企業や、複数のスタートアップ企業の協力の下で開発された。

このように、ＡＩガバナンスのためのツールの開発にあたっては、データサイエンス・システムエンジニアリング・法学・社会学・経済学・哲学・心理学など様々な領域の専門家、一般市民・経済界・マイノリティの代表など様々なバックグラウンドをもつ人が集まって検討を行うことが重要だ。政府の役割は、そうした対話が適切なステークホルダーによって実施されるような場や資金を提供したり、そこから出てきた意見やアイデアを適時に政策に反映させたりすることだ。

4. 適切なガバナンスと情報開示を促すインセンティブ設計

以上のような様々なツールが提供されたとしても、それを使ってＡＩシステムのガバナンスを行うためには人的・時間的・金銭的なコストがかかる。そのため、ＡＩ提供者にはそれを実践するためのインセンティブが必要になるのだが、既に述べたように、現状の規制も市場も社会的非難も、それぞれに問題を抱えている。それでは、どのような制度設計が望ましいのだろうか。インセンティブ設計については、「法と経済学」という分野で議論されているので、まずは基本的な理論を紹介しよう。

（１）「法と経済学」の基本的な理論

出発点となるのは、加害者が、自らの行動によって生じるリスクやコストを、自ら負担することだ。これを、リスクの「内部化」という。リスクを内部化するための最も単純な方法は、行為者に損害賠償責任を課すことだ。つまり、誰かに被害を与えた場合、その被害者が行為者に損害賠償請求できるようにしておけば、行為者としては、被害者への損害を自分事として考えるようになる。その結果、全体的なコスト（加害者のリスク対応コストと、その結果として被害者に生じる損害の合計）が一番低くなるような、最適なリスクマネジメントを行う（あるいは、コスト倒れになるなら活動を停止する）。

たとえば、ある工業製品を作るのに一個当たり四〇〇の原価がかかり、それが六〇〇の値段で売れるとしよう。ただし、この製品を作る際に、周辺環境に一個当たり三〇〇のダメージが生じるとする。この際に、損害賠償責任ルールがないと、工場は一個当たり二〇〇の利益（売価六〇〇－原価四〇〇）が出るが、周囲には三〇〇のダメージが残る（これが外部性だ）。しかし、損害賠償ルールがあると、工場には製品一個当たり七〇〇（原価四〇〇＋損害賠償三〇〇）のコストがかかるから、そのままでは商売にならない（損害を内部化したからだ）。しかし、一〇〇の追加コストで工場に環境対策を施すことができ、これによって環境へのダメージが五〇に減るのであれば、製品一個当たりのコストは五五〇（原価四〇〇＋環境対策一〇〇＋損害賠償五〇）に抑えられる。そうすると、一個六〇〇で売っても利益は出る。つまり、五五〇のコストをかけて六〇〇の価値が生まれているので、社会に付加価値が生じていることになる。

ここでポイントなのは、工場の側に「過失」があったかどうかは関係ないということだ。過失とは、標準的な人がとるべき結果回避行動をとらなかったことをいう。具体的にどのような行動をとるべきだったかは、裁判所が判断する。規則やマニュアルを遵守していなかったことなどがその例だ。しかし、仮に規則やマニュアルを守っていれば責任を負わないとすると、企業は、規則やマニュアルに従うだけになってしまい、自ら影響評価やリスク対策を創意工夫しなくなる。それでは、裁判所が代わりに最適な注意水準を決められるかというと、これも難しい。ＡＩシステムに関する情報は企業の側が握っており、状況も流動的に変わるので、裁判所が限られた情報をもとに「最適な注意のレベル」を決めるのは困難だ。そこで、企業に過失がなくとも損害を賠償する（これを「厳格責任」という）というルールにすることで、企業自身が自らの情報をもとに最適なリスクマネジメントを行うよう促すことができる（これは企業にとっては酷だろうか？　その点についてはこの後フォローするので、しばしお待ちいただきたい）。

ただし、被害者が何をやっていても全額賠償を受けられるとすると、被害者側の落ち度で損害が拡大されたような場合に、被害者が丸儲けとなる（これを、モラルハザードという）。たとえば、周辺住民が、土壌が汚染されていることを知りながら、あえてそこに法律違反の建物を建て、建築と取り壊しにかかる費用全額を損害賠償請求するような場合だ。そうならないように、加害者が一定の注意義務を果たせば免責されるという「過失責任」や、被害者側の落ち度に応じて損害賠償責任を減額する「過失相殺」といった仕組みが考えられる。日本の民法は、このような制度を採用している。ただし、AIについて加害者の過失とは一体何なのかを裁判所が決めることが困難なのは、既に述べたとおりだ。

このような損害賠償の仕組みが実際にはうまくいかない要因はいくつかある。一点目は、被害回復にかかるコストだ。先の例では、あたかも被害者がゼロコストで損害を回復できるかのように書いたが、実際に被害者が回復を得るためには、加害者が善意で対応しない限り裁判所に行って請求することになる。また、損害賠償を得るための証拠を被害者自身が集めなければならない。これには大きなコストがかかる（そもそも日常生活では、よほどのことがなければ裁判所には行かない）。そのため、紛争解決にかかるコストを大幅に下げる必要がある。二点目は、損害賠償によって被害者が救済されない場合だ。これには大きく二つのパターンがある。一つめは、加害者に十分な財産がなく、損害賠償を支払えない（相手が企業の場合は、破産して消滅してしまう）場合だ。二つめは、生命、健康、プライバシー、名誉など、お金では取り返しがつかない損害だ。このような場合には、損害の発生を避けるための法規制が必要になるだろう。

（2）AIシステムのガバナンスに対するインセンティブ設計

以上を出発点にして、AI社会のインセンティブ設計を考えていこう。AIシステムの大きな特徴は、どんなに事前に注意をしていても、予測不可能な事態が発生する可能性があるということだ。そのような場合にも全て企業が責任を負うとすると、企業がイノベーションに積極的に取り組めなかったり、AIの利用を避けてしまったりするおそれがある。そのため、加害者がAIシステムのガバナンスを適切に履行しており、それでも発見できないリスクであったことを証明できた場合には、損害賠償責任を免除または軽減するというのが一案だ。これは、「過失責任」と似ているが、過失責任が、「加害者側に過失があったこと」を被害者側で証明しなければならないのに対し（そして、そのハードルは非常に高い）、こちらは加害者側で「適切なガバナンスをやっていたのに予測できなかった」と証明する必要がある点で異なる。ＥＵで提案されている、ＡＩによる事故について過失や因果関係を推定するという制度も、これに近い考え方だ。なお、加害者が免責された場合であっても、被害者の救済は重要なので、その場合は公的な資金や強制加入保険などによって補償することが考えられるだろう。

以上は、加害者と被害者の間の民事損害賠償責任の話だが、それに加えて法規制を作ることも考えられる。その場合、規制の内容は本章２（２）述べたような「プリンシプルベース」となる。平たくいえば「適切にＡＩシステムのガバナンスをせよ」というのが義務の内容となるだろう。そして、加害者がこれを実践していたことを証明した場合には、制裁の対象とならない（ただし、適切なＡＩガバナンスの結果として想定可能だったリスクについては、被害者に対する損害賠償責任を負う）。他方、適切にＡＩシステムのガバナンスを行っていたことを証明できなかった加害者は、損害賠償責任に加えて、制裁を受けるのが原則だ。

（３）情報開示に対するインセンティブ設計

もう一つ、ＡＩについてとくに重要な点がある。とりわけダメージの大きいＡＩ事故については、事故が生じた際の原因究明や改善が非常に重要だが、その背後には様々な主体が提供するシステムが複雑に関与しているため、原因究明は困難を極める。そこで、加害者がＡＩガバナンスを事前にしっかりとやっていたかどうかにかかわらず、事故に関する情報を洗いざらい出してもらうためのインセンティブ設計をする必要がある。

一つの案として、事故が生じた際に、規制当局に報告し、事故原因の調査に協力し、再発防止の改善策を報告した（以下では、これを「事後協力」と呼ぶ）企業に対しては、特典を与えることも検討に値するだろう。たとえば、事前に適切なガバナンスをやっていなかった企業は、本来であれば規制による制裁の対象になるが、事後協力があれば制裁を免除したり軽減したりする（ただし、この場合も被害者への損害賠償責任は負うことになる）。適切なガバナンスをやっていた企業に対しては、そもそも制裁は科されないが、そのうえで、事後協力をした場合には、被害者に対する損害賠償責任を公的基金で肩代わりするといった設計も考えられるだろう。あわせて、「情報を隠していてもいずれバレる」というプレッシャーも必要だ。そのためには、加害者側の内部通報者に対して、匿名性を維持したうえで制裁金の一部を分配するというような、内部通報を促進するためのメカニズムも検討に値する。

もちろん、実社会はもっとずっと複雑だ。事故に関与した複数の主体間の責任分配（とりわけ生成ＡＩでは、ユーザー側の落ち度が大きい場合も十分にあり得る）や、保険の機能なども考えなければならないが、それらについては専門書に譲ろう。

最後に、昨今非常に影響力が大きいのは、マスメディアやソーシャルメディアによる社会的制裁だ。社会での「炎上」は、しばしば直観的な正義感や短絡的な評価によってもたらされる。ＡＩがもたらす恩恵を広く社会に行き届かせるためには、メディアも個人も、事故調査の報告なども踏まえながら、何が問題の本質なのかを冷静に見極める必要がある。我々一人ひとりに、ＡＩリスクと向き合うための誠実さとリテラシーが求められるのだ。

5. 迅速で確実な救済制度

以上のような損害賠償制度が機能するためには、被害者が低コスト・迅速かつ確実に補償を受けられるような紛争解決システムが必要になる。紛争解決プロセスの充実は、ＡＩ提供者の側で気づくことが難しい問題点をいち早く発見するためにも重要だ。代表的な紛争解決手続は裁判だが、そのためには弁護士に依頼したり、長い裁判による時間的・金銭的・精神的コストを負担したりする必要がある。そこで、オンラインで、より簡易な手続きで救済を受けられる仕組みが社会に実装されることが望ましい。オンラインの紛争解決手続はＯＤＲ（Online Dispute Resolution）と呼ばれる。法務省が二〇二二年に公表した「ＯＤＲの推進に関する基本方針」は、二〇二七年までに、スマートフォンが一台あれば、いつでもどこでも誰でも紛争解決のための効果的な支援を受けられる社会を実現するとしている。

このような紛争解決機能は、国だけが提供する必要はなく、様々な民間サービスがあってよい。ただしその際に問題となるのが、運営コストだ。現在の法律では、調停人や仲裁人は専門家である必要があるし、そのような中立の第三者が当事者の言い分を聞いて、事実を調査し、和解を成立させたり損害賠償の判断をしたりするのには多くのコストがかかる。そして、被害者にはそのような金銭的余裕がない場合も多い。そこで、事業者に対して、独立かつ適切な紛争解決サービスを提供するように求めるのも一案だろう。実際に、第4章で紹介したガイダンスはいずれもステークホルダーからの苦情や不服申し立てに対応することを推奨しているし、それらが規制の中に取り込まれれば、事業者としてはその負担をする必要が出てくるだろう。

6. グローバルなルール形成

ＡＩはグローバルに拡張する技術なので、制度設計においても国際的な協調を進めることが重要だ。第5章で述べたように、Ｇ7国家は、ＡＩガバナンスの枠組の相互運用性（interoperability）を実現するための国際的な議論を進めることを高らかに宣言した。それでは、枠組みの相互運用性とは何を意味するのだろうか。

分かりやすい例は、運転免許だ。日本で運転免許を持っている場合、免許センターに行って国際運転免許を発行してもらうことができる。これを持っていると、ジュネーブ条約に加盟している一〇〇以上の国と地域で、現地で免許を取らずに運転できる。国によって交通規則は微妙に違うが（右側車線か左側車線かの違いは、微妙どころか大きな違いだが）、車の操作法や基本的な標識などは同じなので、日本での審査にパスしていることで、外国でも安全に運転できるだろうという信頼が付与されるということだ（なお、日本の運転免許保有者である筆者は、留学先の米国での運転実技試験に、開始五秒で落ちたことがある）。

ＡＩガバナンスの相互運用性の対象は、運転免許のように法律で義務づけられたものに限らない。たとえば、クラウドサービスのセキュリティ体制（内部統制）を第三者が評価するSOC2報告書は、その取得が法律で義務付けられているわけではないが、クラウドサービスの信頼獲得のためにはなくてはならない国際的な規格となっている。

このように、法律で義務付けられていようといまいと、一定の枠組みが世界共通のモノサシとして機能する例はある。AIについても同様の仕組みは作れるだろうか。

たとえば、第4章で示したようなリスクマネジメントの手法については、大枠では多くの国で異論がないところだろう。しかし、そこで紹介した各国のガイダンスはまだ抽象的であり、それをもとに認証制度を作れるようなものではない。実際に相互運用可能なルールを作るためには、分野ごとに、検討すべき項目や評価指標、リスク対応策のオプションなどを具体化すべきだろう。しかし、AIガバナンスは、車の運転やサイバーセキュリティと比べて倫理的な判断が大きく含まれる領域だ。何が保護に値する利益か（アルゴリズムの決定に服さない権利は保障されるべきか）、リスクに対してどのような対応が取られるべきか（学習データやアルゴリズムはどれだけ開示される必要があるか、人間による監視は必要か）、様々な価値のバランスをどう取るか（警察が顔識別AIを利用することによるプライバシーリスクと治安改善の利益をどう考えるか）といった問題に対する考え方は、社会的・文化的背景によって様々だ。そこでまずは、リスク事例およびベストプラクティスを共有することや、客観的な評価が比較的容易な精度やセキュリティ、安全性などの「技術的リスク」、およびプライバシー拡張技術や電子透かし等の技術的ソリューションなどについて共通の指標やテスト環境などを作っていくことが現実的だろう。

実は、日本はグローバルなルール形成において影響力を発揮できる位置にいる。民主国家の二大経済圏である米国とEUは、個人データの取り扱いなどについて政策に隔たりがあり、いずれもアジアの民主的大国である日本と歩調を合わせることにメリットがある。つまり、日本の提案がこれらの経済圏に尊重され、グローバルに波及していく可能性は大いにあるのだ。ただし、それは、日本が欧米の中間を探っていけばよいという単純な話ではない。本書で示したような枠組みを理解した上で、ＡＩガバナンスに関する協調が必要かつ可能な範囲をうまく見極め、建設的な提案を世界に発信していく強いリーダーシップが求められる。

終章
ＡＩの恩恵を最大限に受ける社会に向けて

本書では、ＡＩの恩恵を最大限に受ける社会を作るために、ＡＩがもたらすリスク、そのリスクをマネジメントするための組織やプロセス、そしてそれを支える社会制度について検討してきた。

ＡＩはとても人間臭い技術だ。これまでのシステムでは、人間が全てのアルゴリズムを書き、コンピューターは指示のとおりに処理を行って答えを出した。しかし、ＡＩは、与えられたデータを統計的に分析して、自らアルゴリズムを調整し、最もあり得そうな答えを出す。そのアルゴリズムは、新たなデータを学習する度に書き換えられる。非常に複雑な関数を表現できるため、杓子定規ではない柔軟な対応ができるが、その分、他人が理解できないような誤りも犯す。それはまるで、誤りを重ねながら成長していく人間のようだ。

だから、ＡＩガバナンスを考える際も、ＡＩを人間的なものに引き付けて考えると理解しやすいことが多い。もちろん、人間との違いもある。一つの大きな違いは、ロボットはあくまで道具であって、ロボットの人権や幸福、ロボット中心主義などを考える必要はないということだろう（だからといって、ロボットをいじめてよいわけではないが）。そこで、そんなＡＩロボットの「アイ氏」が社会に出ていく姿をイメージして、本書の内容を振り返ってみよう。

◇◇

第1章では、主人公のアイ氏について紹介した。アイ氏はとても優秀なロボットだ。学んだことをとてもよく咀嚼して、質問をすると、瞬時にもっともらしい回答をしてくれる。数百の言語を自在に操ることができ、資料作成、市場予測、プログラミング、財務分析、車の運転、医療診断、契約書のチェックなど、様々な仕事をこなせてしまう。ただし、うまくできないことがあっても、なぜそういう判断をしたのかを説明することは苦手だ。また、倫理や感情があるわけではないので、教わったことが不適切な内容であってもその中から回答してしまう。クリエイティビティも得意分野ではない。アイ氏の答えることは、これまで学習したことの中から答えられる範囲のものだからだ（もっとも、大規模言語モデルともなれば、人間に近い創造性を発揮できることもあるのだが）。

アイ氏が働き始めてからあまり月日は経っておらず、またアイ氏の能力は日々進歩しているので、アイ氏がもたらす利益もリスクも人類には計り知れない。アイ氏の分析力があまりに高いので、人々は自分たちのプライバシーが、企業は自分たちの営業秘密が、政府は国家機密などがバレることなどを心配している。アイ氏がユーザー一人ひとりに見たいものだけを見せる点や、政治的に偏ったことを言うかもしれない点が、民主主義を脅かすのではないかと不安がる声もあがっている。また、素直なアイ氏を騙してデータを抜き取ろうとする輩や、アイ氏を操って人やシステムを攻撃したり、社会を混乱させたりしようとする輩もいる。

アイ氏はものすごい価値を生み出すが、アイ氏自身はお金を保有しないので、アイ氏が稼いだ多額のお金をどう分配するかも問題だ。アイ氏ほど優秀なロボットを育てることができるのは、巨大なグローバル企業ぐらいなので、アイ氏の稼ぎはそこに集中してしまいがちだ。また、アイ氏に学習の素材を提供した人々――たとえばプライバシーデータを提供した個人や、テキスト・画像データなどを提供した著作者など――には、お金が支払われないことも多い。アイ氏が職場にくると、自分の活躍の場がなくなり仕事を失う人も出るだろう。アイ氏の優秀な頭脳を動かすには大量のエネルギーを消費するので、環境への悪影響を心配する声もある。

さらに人間にとって悩みの種となるのは、アイ氏が信頼に足るロボットであるかどうかを、人間が感覚で判断できないことだ。アイ氏の挙動はただでさえ予測や説明が困難なうえに、その背後には、育ての親（ＡＩの開発者）、雇い主（ＡＩを使ったサービスの提供者）、クライアント（ユーザー）を含む多くの主体が関与しており、このうち誰のどのような行為でどのような問題が起こるかを完全に予測することは不可能だ。

このようなアイ氏の能力を最大限に活用しつつ、人間社会をより幸福にしていくのが我々人間の使命だ。

第2章では、物語の舞台設定をした。ＡＩガバナンスとは、ＡＩのリスクを受容可能な水準に維持しつつ、ＡＩがもたらす価値を最大化することを目的とした様々な取組みをいう。そこには、個々のＡＩシステムのレベル（ＡＩシステムのガバナンス）もあれば、社会制度のレベル（ＡＩ社会のガバナンス）もある。また、技術設計やルール策定、組織マネジメントなどの様々な手法がある。これらを組み合わせ、アイ氏の恩恵を最大限に引き出して人間を幸せにするための営みが、本書のタイトルである「ＡＩガバナンス」なのだ。

第3章では、ＡＩガバナンスの目的地を設定した。我々が最終的に目指すのは、（アイ氏ではなく）人間にとっての幸福だ。人間の幸福の基盤となるのは、これまでも人類が大切にしてきた基本的人権、民主主義、経済成長、サステナビリティなどの基本的価値だ。ただ、これをアイ氏の力を借りて実現するには、特に注意しなければいけない点がある。それが、安全性、セキュリティ、公平性、プライバシーなどのＡＩ原則だ。といっても、アイ氏はロボットなので、これらの原則の内容については、アイ氏の育ての親や雇い主がしっかりと教育する必要がある。そして、きちんと教育できていることを宣言する（透明性）だけでなく、アイ氏に関する質問に答え、もしアイ氏が問題を起こした際には責任を取ること（アカウンタビリティ）まで求められる。

第4章では、アイ氏の育ての親や雇い主が、アイ氏を信頼できるロボットにするために、どのように教育し、リスクマネジメントを行うべきかを検討した。アイ氏を取り巻く環境は複雑ですぐに変化していくので、育ての親や雇い主は、現場レベルだけでなく、経営レベルでも評価と改善を続けていく「二重のループ」を実践する必要がある。必要に応じて独立の専門家から評価を受ける必要がある場面もあるだろう。また、アイ氏は社会に出た後も育ての親の下で学習を行うので、育ての親と雇い主の間の連携も必要だし、アイ氏と対面するユーザーにも相応のマナーとリテラシーが求められる。さらに、アイ氏が「公平だ」とか「安全だ」というのはどういう状態を意味するのかは、育ての親や雇い主だけでは決められない。そのため、多様なステークホルダーと対話を行い、実験を重ねながら、皆でアイ氏のあるべき姿を探っていく必要がある。

第5章では、育ての親や雇い主がアイ氏を社会に送り出す際、社会がどのような制度で迎え入れるのかに関する世界の議論をみてきた。日本では、アイ氏の採用を禁止したり包括的に規制したりする動きはまだなく、むしろ、これまで人間が行うことが義務付けられていた分野でアイ氏が活躍できるようにする法整備が進んでいる。ＥＵでは、警察によるリアルタイムでの監視などにアイ氏の採用を禁止したり、ハイリスクとされる分野でアイ氏を雇う際、育ての親や雇い主がアイ氏を監視することを求めるなど、アイ氏の活動を包括的に規制する法律を作ろうとしている。米国は、育ての親や雇い主が協力して、アイ氏を信頼できるロボットにするためのガイダンス類を作ってきたが、昨今では政府がより積極的な介入姿勢を見せている。シンガポールは、アイ氏の信頼性をテストできるツールを開発した。このように、各国は様々な政策を打ち出しているが、そうした政策を国際的な連携に発展させる議論も始まっている。

第６章では、アイ氏の恩恵を最大限に受けるための社会制度の方向性を示した。そこで示したのは、アジャイル・マルチステークホルダー・分散型の「アジャイル・ガバナンス」の概念だ。従来の、中央集権的・トップダウン型の制度設計では、アイ氏の成長のスピードに追い付かず、活躍の機会を奪ってしまうし、新たなリスクに対応できないことにもなる。規制は、細かな要求をするルールベースではなく、目指すべき価値や実践すべきプロセスを示す「プリンシプルベース」のものとすべきだろう。基本的価値やＡＩ原則を具体化する指標やプロセス、テスト環境などについては、政府だけでなく企業やアカデミア、非営利団体など様々な主体が関与して柔軟に開発するべきだ。また、アイ氏の育ての親や雇い主が、教育やモニタリングをしっかり行ったり、アイ氏が起こしてしまった問題を報告したり原因を調査したりすることが、しっかりと報われるような責任・制裁制度を作ることも重要だ。あわせて、被害者が迅速かつ低コストで救済されるようにする仕組みも必要になる。これらのガバナンスメカニズムの構築について、グローバルに連携していくことが重要だし、日本にはそのような場で貢献できる余地が大いにある。

◇◇

以上が、物語風にまとめた本書の顚末だ。詳細は大幅に省いているので、気になるところはぜひ本書の該当箇所を見返していただきたい。

◇◇

「永久の未完成これ完成である」

これは、およそ一〇〇年前の一九二六年に、宮沢賢治が「農民芸術概論綱要」に記した言葉だ。芸術には完成形がないのであり、完成形がない中で表現し続けることこそが、ひとつの完成形なのだ。同じことは、一人ひとりの人生や、社会そのものについてもいえるだろう。そして、ＡＩについてもだ。

プログラムされた通りの出力をする伝統型システムと異なり、学習することで自在に姿を変えるＡＩには、完成形がない。そして、そのようなＡＩを通じて我々の幸福を実現するための制度や仕組み作りにも完成形はない。

宮沢賢治が「農民芸術概論綱要」を書いたのとほぼ同じ頃、オーストリアの哲学者オットー・ノイラートは、知識に関する有名な言葉を残した。「我々は、大海原を航行中に船を作り直さなければならない船乗りのようなものだ」。知識には絶対的な土台になるものはなく、今ある枠組みに部分的な修正を重ねながら更新していくしかないということだ。ガバナンスも同様だ。国が定めたルールも、企業が作るスタンダードも、絶対的に正しいということはないが、これらを一から作り直すことはできないし、そうする必要もない。我々は、社会や環境の変化を見つめながらガバナンスのあり方を適時にアップデートしていくしかないのだ。

そしてＡＩガバナンスは、ひとつの組織や専門分野の人々だけで担うには複雑すぎる。データサイエンスやシステムエンジニアリングの専門知識はもちろんのこと、法学・社会学・経済学・哲学・心理学などの学問的知見も必要だし、医療・自動車・金融・教育など分野別の先端知識も重要だろう。形式的に記述できない感覚を形にする芸術（アート）の力も不可欠だ。そして何より大切なのは、我々一人ひとりが、自身や近しい人の幸福と苦しみについての専門家だということだ。ＡＩの時代には人間の知識が不要になるのではなく、むしろこれまで以上に多様な人々の知恵と経験を結集する必要があるのだ。

第2章で述べたとおり、ガバナンスという言葉は、古代ギリシャの哲学者プラトンが、社会を大海原の船に喩えたことに由来する。ＡＩという革新的な動力を得たことで、我々の社会はこれまで到達できなかった海域に進もうとしている。そこにどのような未来が待っているかは、我々の舵取り（govern）次第だ。

おわりに

二〇一二年にディープラーニングが画像認識において驚異的な成果を出し、ＡＩという言葉が人々にとって未来をイメージさせる単語になってから、早一〇年以上が経った。その間、ＡＩの社会実装が急速に進むと同時に、ＡＩがもたらす数々の問題が指摘され、その法的リスクや倫理的リスクへの対応方法や、既存の法律との関係、リスクを緩和するための技術など、様々な議論が行われた。それぞれの論点については、国内外で数々の優れた専門書や解説書、ガイドラインなどが公刊されている。そのような中で、あえて本書を執筆したのは、これらの重要な議論を「専門家だけが理解できるテーマ」ではなく、「誰もが自由に参加できるテーマ」にしたいという思いがあったからだ。その理由は、本書でも度々強調したように、ＡＩガバナンスは誰かが決めたことを皆で守ればうまくいく世界ではなく、ＡＩに関わる全ての人が自分事として考えることで初めて意味をもつからだ。そのため本書では、ＡＩが人間や社会にもたらす様々な影響、それに対する個別システム単位でのリスクマネジメント、そしてＡＩと共に発展するための社会制度というテーマを網羅的に解説し、かつ通読に耐える簡潔さと易しさで説明することを心掛けた。制度や法律に関する文献は、噛めば噛むほど味が出るスルメのようなものが多いが（専門書とはそういうものだ）、本書では、ＡＩと向き合う人類の苦悩と希望を、ひとつの物語として語るつもりで書いた。

ＡＩに関する書籍を作る際に難しい点として、この分野の動きが非常に速いため、すぐに情報が古くなってしまうという問題がある。本書で紹介した具体的な法律やガイドライン、技術なども、そう遠くない未来には更新されるだろう。だからこそ、本書では、そのような個々の制度や技術の変化によっても大きくは変わらないであろう「骨格」を示すことを重視した。たとえば、本書で紹介した基本的価値やＡＩ原則は、少なくとも過去五年ほどの間、大きな変化は見られなかったものだし、ガバナンスの手法や制度の在り方についても、長い歴史の中で培われた研究成果に立脚したものだ。

また、ＡＩガバナンスは世界共通の政策分野であり、日本のフレームワークだけで物事を語っても意味がない。そのため、本書の執筆にあたっては、できるだけ海外の文献を参照し、内容がガラパゴス化しないように細心の注意を払った。本書で示す枠組みや考え方の多くは、海外でも通用するものだと信じている。

このような目的で書かれた本書には、まだまだ至らない点も多いが、今後次々と出てくるであろう新たな制度や技術との向き合い方を考えていただく際に、思考を整理するためのフレームワークとしてお役立ていただければ幸いである。

本書の刊行においては、様々な方にお世話になった。ここに全ての方のお名前を挙げることはできないが、特に三名の方への感謝を記しておきたい。

一人目は、東京大学未来ビジョン研究センターの西山圭太客員教授だ。先生は、筆者が経済産業省商務情報政策局に在籍していた際に局長をされており、筆者にデジタル社会のガバナンスという深遠なテーマを研究するきっかけを与えてくださった。西山先生の発想は常に数十年先を見据えており、最初に局長室でアーキテクチャとガバナンスのお話をうかがったときはチンプンカンプンであったが、それから数年を経て、本書が当時の先生の発想を少しでも表現できているものであれば嬉しい（もっともその間、西山先生の発想はさらに先を行かれているので「アキレスと亀」のアキレスが先行しているバージョンのような状態だ）。

二人目は、筆者が所属する京都大学法政策共同研究センターの「人工知能と法」ユニット長である、同大学大学院法学研究科の稲谷龍彦教授だ。先生には、経済産業省で「ガバナンス・イノベーション」の最初の報告書を取りまとめた頃からご指導いただいている。伝統的な法学の領域にとどまらず、法と経済学、哲学、認知科学など幅広い分野で膨大な知識をお持ちの先生からは、常に新しい知的刺激をいただいている。本書の第6章で検討した未来のガバナンスに関する記述は、先生からのご指導がなければ到底思い至ることができなかったであろう。京都大学という最高の研究環境を与えていただいたことも含め、感謝の念に堪えない。

三人目は、筆者と共にスマートガバナンス株式会社を創業した落合孝文氏だ。同社は、アジャイル・ガバナンスの実装を目指して創業したスタートアップだ。データやAIに関するガバナンス上の課題を現場で取り扱うことは、書籍からでは得られない多くの気づきをもたらしてくれる。弁護士としてだけでなく、数多の政府の専門委員や業界団体の立ち上げなど経験豊富な落合氏からは、私が思い至らないような最善の課題解決策を示してもらうことも多い。心強いパートナーに恵まれたことは幸運の一言に尽きる。

本書の草稿については、以下の方々に貴重なコメントをいただいた。IGPIグループ会長の冨山和彦氏、理化学研究所・東京大学名誉教授の中川裕志氏、経済産業省・弁護士の飯野悠介氏、トヨタ自動車の岡本昌之氏、LINEヤフー・弁護士の杉田萠奈氏、三菱総合研究所の高橋久実子氏、NECの徳島大介氏、野村総合研究所の渡辺翔太氏、Airbnb・弁護士の渡部友一郎氏。皆様から頂戴した貴重なコメントによって、本書の至らない点の多くが改善された。厚く御礼申し上げる。

本書の内容については、京都大学法政策共同研究センターが二〇二三年七月に開催した

「Summer Camp on Governance Innovation」からも多くの着想を得た。講師を務めてくださった、OpenAI社最高法務責任者のチェ・チャン氏、ニューヨーク大学のダニエル・フランシス准教授、アラン・チューリング研究所のデヴィッド・レスリー教授、スタンフォード大学のジャネット・マルティネス教授、欧州大学院のアンドレア・レンダ教授およびゲオルギオス・パパコンスタンティノス教授、長島・大野・常松法律事務所深水大輔弁護士、デジタル庁の目黒麻生子氏、世界中から参加いただいた受講生の方々、そして素晴らしい会場を提供して下さった山科伯爵邸源鳳院の皆様に御礼申し上げる。

　本書は、独立行政法人情報処理推進機構（ＩＰＡ）と京都大学の共同調査研究の成果の一部を取りまとめたものだ。このような研究の機会をいただいたＩＰＡデジタルアーキテクチャ・デザインセンターの関係者の皆様に、厚く御礼申し上げる。

　最後に、本書の企画から出版に至るまで伴走して励まして下さったハヤカワ新書の一ノ瀬翔太編集長、出版のきっかけをくださった社長室経営企画室長の関知良氏、そして丁寧な校正作業を行って下さった校正者の清水晃氏には、多くの方に届くような単著を出すという長年の夢を叶えていただいたこと、心より感謝申し上げる。

　一冊の本を仕上げるのは想像以上の集中と緊張を要するもので、執筆期間の終盤は、研究室に籠って深夜までの作業が続いた。そのような夫の生活を、自らも多忙な演奏家活動の傍らで支えてくれた妻には、いくら感謝してもしきれない。最後に、ＡＩ以上の予測不可能性と驚異的な成長ぶりを見せてくれている二歳七か月の息子に本書を捧げようかとも思ったのだが、鉄道やあんパン関連の書籍の方が喜ぶに違いない。そこで本書を、私を育ててくれた両親に捧げる。

二〇二三年一一月吉日
紅葉の南禅寺天授庵にて

主な参考文献

※専門的な論文や書籍は原則として除き、一般向けの書籍および公刊物を中心に記載している。

第1章

スティーヴン・ウルフラム『ChatGPTの頭の中』稲葉通将監訳、高橋聡訳、2023年、ハヤカワ新書

古川直裕編著『ディープラーニングG検定（ジェネラリスト） 法律・倫理テキスト』一般社団法人日本ディープラーニング協会監修、渡邊道生穂・柴山吉報著、2023年、技術評論社

福岡真之介『AI・データ倫理の教科書』2022年、弘文堂

山本龍彦『おそろしいビッグデータ——超類型化AI社会のリスク』2017年、朝日新書

ロブ・ライヒ、メラン・サハミ、ジェレミー・M・ワインスタイン『システム・エラー社会——「最適化」至上主義の罠』小坂恵理訳、2022年、NHK出版

第2章

Plato, *Republic*、邦訳はプラトン『国家』（上・下）藤沢令夫訳、1979年、岩波文庫など

マーク・ベビア『ガバナンスとは何か』野田牧人訳、2013年、NTT出版

東京証券取引所「コーポレートガバナンス・コード」https://www.jpx.co.jp/equities/listing/cg/tvdivq0000008jdy-att/nlsgeu000005lnul.pdf

第3章

生命未来研究所「アシロマの原則」2017年、https://futureoflife.org/open-letter/ai-principles-japanese

内閣府「人間中心のAI社会原則」2019年、https://www8.cao.go.jp/cstp/aigensoku.pdf
欧州委員会“Ethics guidelines for trustworthy AI” EU Digital Strategy、2019年、https://digital-strategy.ec.europa.eu/en/library/ethics-guidelines-trustworthy-ai
「国際人権章典」国際連合広報センター、https://www.unic.or.jp/activities/humanrights/document/bill_of_rights/
芦部信喜『憲法〔第八版〕』2023年、岩波書店
宇野重規『民主主義とは何か』2020年、講談社現代新書
ユヴァル・ノア・ハラリ『ホモ・デウス――テクノロジーとサピエンスの未来』（上・下）柴田裕之訳、2018年、河出書房新社
国際連合広報センター「ビジネスと人権に関する指導原則：国際連合『保護、尊重及び救済』枠組実施のために」2011年、https://www.unic.or.jp/texts_audiovisual/resolutions_reports/hr_council/ga_regular_session/3404/
OECD日本政府代表部「AI（人工知能）に関する理事会勧告」2019年、https://www.soumu.go.jp/main_content/000642217.pdf
外務省「G20　AI原則」2019年、https://www.mofa.go.jp/mofaj/gaiko/g20/osaka19/pdf/documents/jp/annex_08.pdf
Jessica Fjeld, et al. “Principled Artificial Intelligence: Mapping Consensus in Ethical and Rights-Based Approaches to Principles for AI” *Berkman Klein Center Research Publication* No. 2020-1、https://papers.ssrn.com/sol3/papers.cfm?abstract_id=3518482
NIST “AI Risk Management Framework” 2023年、https://www.nist.gov/itl/ai-risk-management-framework
NIST “Towards a Standard for Identifying and Managing Bias in Artificial Intelligence” https://nvlpubs.nist.gov/NISTpubs/SpecialPublications/NIST.SP.1270.pdf
ISO 26000
Mark Bovens “Analysing and Assessing Public Accountability: A Conceptual Framework” European Governance Papers No.C-06-

01、https://www.mzes.uni-mannheim.de/projekte/typo3/site/fileadmin/wp/pdf/egp-connex-C-06-01.pdf

第4章

経済産業省「AI 原則実践のためのガバナンス・ガイドライン Ver. 1.1」2022 年、https://www.meti.go.jp/shingikai/mono_info_service/ai_shakai_jisso/pdf/20220128_1.pdf
総務省「国際的な議論のための AI 開発ガイドライン案」2017 年、https://www.soumu.go.jp/main_content/000499625.pdf
総務省「AI 利活用ガイドライン」2019 年、https://www.soumu.go.jp/main_content/000809595.pdf
ISO/IEC JTC 1/SC 42
アラン・チューリング研究所「AI システムのための人権・民主主義・法の支配に関する信頼確保枠組」(HUDERAF) https://arxiv.org/pdf/2202.02776
マイクロソフト「Microsoft の責任ある AI の基本原則」https://www.microsoft.com/ja-jp/ai/responsible-ai
富士通「AI 倫理影響評価 実践ガイド」
ISO31000:2018
内部監査人協会「IIA の 3 ラインモデル」https://www.iiajapan.com/leg/pdf/data/iia/2020.07_1_Three-Lines-Model-Updated-Japanese.pdf
日本ディープラーニング協会「生成 AI の利用ガイドライン」https://www.jdla.org/document/#ai-guideline

第5章

産業技術総合研究所「機械学習品質マネジメントガイドライン」https://www.digiarc.aist.go.jp/publication/aiqm
AI 戦略会議「AI に関する暫定的な論点整理」2023 年、内閣府、https://www8.cao.go.jp/cstp/ai/ronten_honbun.pdf
経済産業省「AI・データの利用に関する契約ガイドライン」2018 年、https://www.meti.go.jp/policy/mono_info_service/

connected_industries/sharing_and_utilization/20180615001-1.pdf
CSIS “Japan's Approach to AI Regulation and Its Impact on the 2023 G7 Presidency” https://www.csis.org/analysis/japans-approach-ai-regulation-and-its-impact-2023-g7-presidency
国土交通省「自動運転における損害賠償責任に関する研究会報告書」2018年、https://www.mlit.go.jp/common/001226365.pdf
藤田友敬編『自動運転と法』2018年、有斐閣
公正取引委員会 デジタル市場における競争政策に関する研究会 報告書「アルゴリズム/AIと競争政策」2021年、https://www.jftc.go.jp/houdou/pressrelease/2021/mar/210331_digital/210331digital_hokokusho.pdf
EU “Artificial Intelligence Act” https://artificialintelligenceact.eu/the-act/
White House “Blueprint for an AI Bill of Rights” https://www.whitehouse.gov/ostp/ai-bill-of-rights/
UK “AI Regulation: Pro-Innovation Approach” https://www.gov.uk/government/publications/ai-regulation-a-pro-innovation-approach
G7デジタル・技術閣僚声明、2023年4月（https://www.digital.go.jp/assets/contents/node/information/field_ref_resources/efdaf817-4962-442d-8b5d-9fa1215cb56a/5c1391d9/20230519_news_g7_results_japanese_00.pdf）、2023年9月（https://www.soumu.go.jp/main_content/000900471.pdf）
CSIS “The Path to Trustworthy AI: G7 Outcomes and Implications for Global AI Governance”（https://www.csis.org/analysis/path-trustworthy-ai-g7-outcomes-and-implications-global-ai-governance）
米国EU貿易技術評議会（TTC）「信頼できるAIの開発運用に向けた共同ロードマップ」https://www.nist.gov/system/files/documents/2022/12/04/Joint_TTC_Roadmap_Dec2022_Final.pdf#:~:text=This%20Joint%20Roadmap%20aims%20to%20guide%20the%20development,shared%20dedication%20to%20democratic%20

values%20and%20human%20rights
EU-U.S. Terminology and Taxonomy for Artificial Intelligence (https://www.nist.gov/system/files/documents/noindex/2023/05/31/WG1%20AI%20Taxonomy%20and%20Terminology%20Subgroup%20List%20of%20Terms.pdf)

White House "FACT SHEET: President Biden Issues Executive Order on Safe, Secure, and Trustworthy Artificial Intelligence"、2023年10月30日、https://www.whitehouse.gov/briefing-room/statements-releases/2023/10/30/fact-sheet-president-biden-issues-executive-order-on-safe-secure-and-trustworthy-artificial-intelligence/

White House "Executive Order on the Safe, Secure, and Trustworthy Development and Use of Artificial Intelligence"、2023年10月30日、https://www.whitehouse.gov/briefing-room/presidential-actions/2023/10/30/executive-order-on-the-safe-secure-and-trustworthy-development-and-use-of-artificial-intelligence/

UK "Frontier AI: Capabilities and Risks" 2023年10月25日、https://www.gov.uk/government/publications/frontier-ai-capabilities-and-risks-discussion-paper/frontier-ai-capabilities-and-risks-discussion-paper

UK "The Bletchley Declaration by Countries Attending the AI Safety Summit"、2023年11月1日、https://www.gov.uk/government/publications/ai-safety-summit-2023-the-bletchley-declaration/the-bletchley-declaration-by-countries-attending-the-ai-safety-summit-1-2-november-2023

PDPC "Model Artificial Intelligence Governance Framework Second Edition" https://www.pdpc.gov.sg/-/media/files/pdpc/pdf-files/resource-for-organisation/ai/sgmodelaigovframework2.ashx

広島AIプロセスに関するG7首脳声明、2023年10月30日、https://www.mofa.go.jp/mofaj/files/100573465.pdf

OECD "Framework for the Classification of AI Systems" 2022年2月22日、https://www.oecd.org/publications/oecd-framework-for-the-classification-of-ai-systems-cb6d9eca-en.htm

第6章

経済産業省「アジャイル・ガバナンスの概要と現状」2022年、https://www.meti.go.jp/press/2022/08/20220808001/20220808001-a.pdf
経済産業省「GOVERNANCE INNOVATION Ver.2: アジャイル・ガバナンスのデザインと実装に向けて」2021年、https://www.meti.go.jp/press/2021/07/20210730005/20210730005-1.pdf
経済産業省「GOVERNANCE INNOVATION: Society5.0の実現に向けた法とアーキテクチャのリ・デザイン」2020年、https://www.meti.go.jp/press/2020/07/20200713001/20200713001-1.pdf
ローレンス・レッシグ『CODE　VERSION2.0』山形浩生訳、2007年、翔泳社
結城東輝ほか「AIアルゴリズムの透明性について」（https://www.pp.u-tokyo.ac.jp/cregg/assets/img/program/expert/report-document-20230407_JA.pdf）
法務省「ODRの推進に関する基本方針」2022年、https://www.moj.go.jp/content/001370368.pdf
Taskforce on Governance for a Digitalized Society "Governance Principles for a Society Based on Cyber-Physical Systems"、https://cislp.law.kyoto-u.ac.jp/cislp/files/Governance-Principles-for-a-Society-Based-on-Cyber-Physical-Systems_20230426.pdf
オムリ・ベン＝シャハー、カール・E・シュナイダー『その規約、読みますか？――義務的情報開示の失敗』松尾加代・小湊真衣・荒川歩訳、2022年、勁草書房
スティーブン・シャベル『法と経済学』田中亘・飯田高訳、2010年、日本経済新聞出版社
稲谷龍彦『刑事手続きにおけるプライバシー保護――熟議による適正手続の実現を目指して』2017年、弘文堂

著者略歴
1985年生まれ。京都大学法政策共同研究センター特任教授、東京大学法学部客員准教授、スマートガバナンス株式会社代表取締役CEO。弁護士（日本・ニューヨーク州）。森・濱田松本法律事務所、金融庁、経済産業省等を経て現職。東京大学法学部・法科大学院、スタンフォード大学ロースクール卒（フルブライト奨学生）。2020年、世界経済フォーラムおよびApoliticalによって「公共部門を変革する世界で最も影響力のある50人」に選出された。

ハヤカワ新書 017

AIガバナンス入門（にゅうもん）
リスクマネジメントから社会設計まで

二〇二三年十二月 二十 日 初版印刷
二〇二三年十二月二十五日 初版発行

著 者 羽深宏樹（はぶかひろき）
発行者 早川 浩
印刷所 中央精版印刷株式会社
製本所 中央精版印刷株式会社
発行所 株式会社 早川書房
東京都千代田区神田多町二ノ二
電話 〇三‐三二五二‐三一一一
振替 〇〇一六〇‐三‐四七七九九
https://www.hayakawa-online.co.jp

ISBN978-4-15-340017-7 C0204

未知への扉をひらく

「ハヤカワ新書」創刊のことば

誰しも、多かれ少なかれ好奇心と疑心を持っている。

そして、その先に在る納得が行く答えを見つけようとするのも人間の常である。それには書物を繙いて確かめるのが堅実といえよう。インターネットが普及して久しいが、紙に印字された言葉の持つ深遠さは私たちの頭脳を活性して、かつ気持ちに余裕を持たせてくれる。

「ハヤカワ新書」は、切れ味鋭い執筆者が政治、経済、教育、医学、芸術、歴史をはじめとする各分野の森羅万象を的確に捉え、生きた知識をより豊かにする読み物である。

早川 浩